ヨーク、街歩きガイド。

& New York

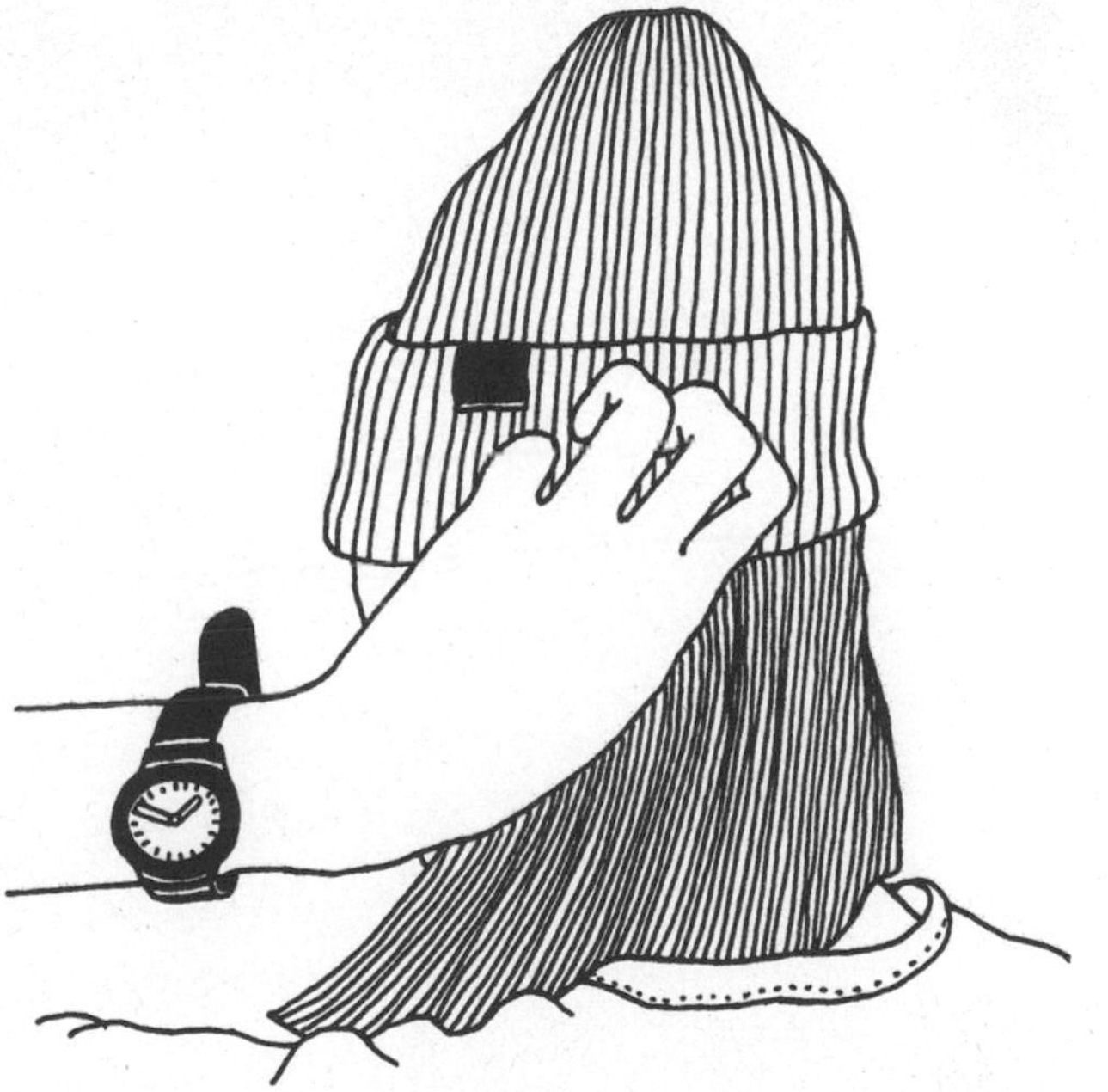

世界中から最先端のカルチャーが集まり、エッジーなファッションの発信基地でもあるニューヨーク。その魅力的な街をガイドするのは、ニューヨークの旬な人々についての著書もあるニューヨーク在住のライター佐久間裕美子さん。加えてヒップな店をオーナーたちのリレー形式で紹介する「イカした店主のお気に入り」、B級グルメを探求する「NY味覚旅行」、メイクアップアーティスト目線の「ビューティ ピック」、そして「本と映画で夢見るNY」や「NY在住写真家のフォトエッセイ」まで、お腹いっぱいニューヨークを召し上がれ。

Walk In

NYC

歩いて知るビッグアップル

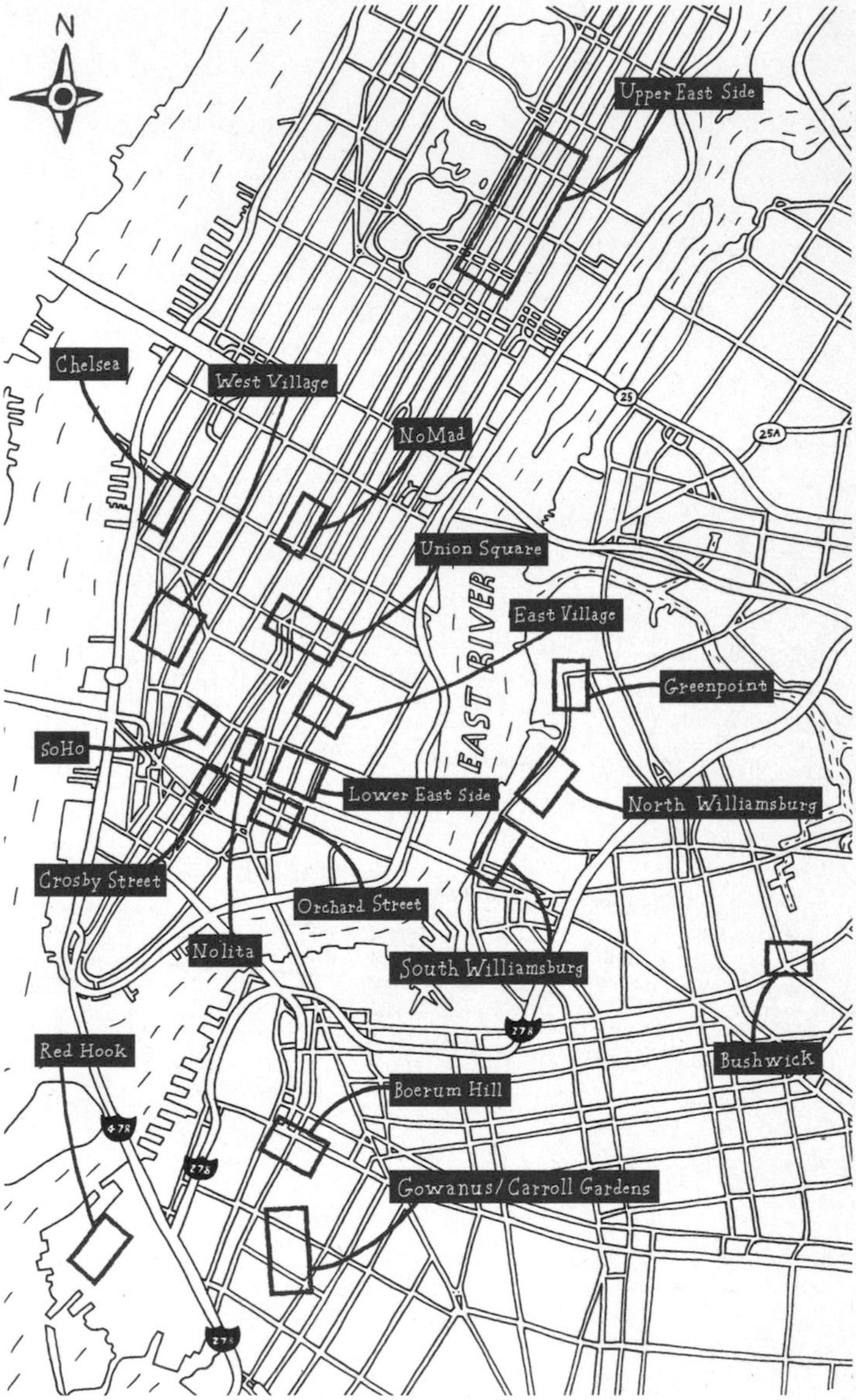

案内する人

佐久間裕美子 Yumiko Sakuma

NY在住18年目。インタビューやルポを執筆しながらデジタル媒体『PERISCOPE』の編集長も務める。著書『ヒップな生活革命』、翻訳書『テロリストの息子』(いずれも朝日出版社) など。

イラストと地図

STOMACHACHE. ストマックエイク

姉・のぶえ、妹・ともえの〝オルタナティブ姉妹〟によるイラストレーターユニット。ストリートテイスト溢れるポップな作風が魅力。

My New York Moment

NY在住写真家のフォトエッセイ

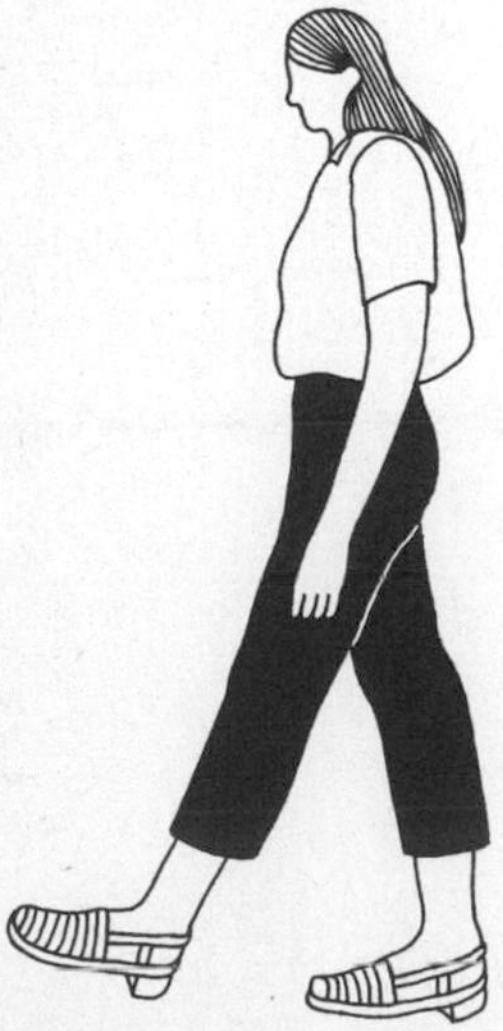

Munemi's Beauty Pick

Munemiのビューティ ピック

ムネミ・イマイ Munemi Imai

NY在住メイクアップアーティスト。オーガニックの美容液ブランド〈MUN〉を主宰。

NEW YORK DAYDREAM

本と映画で夢見るNY

長谷川安曇 Azumi Hasegawa

ブルックリン在住ライター。メンズ誌、カルチャー誌で執筆、自費でホラー映画の製作も。

Owner's Favorite

イカした店主のお気に入り〜リレーコラム

A Bite Of The World

NY味覚旅行

松尾由貴 Yuki Matsuo

ニューヨークをベースに、食と食にまつわるカルチャーを探求するライター、ローカリスト。

Walk In NYC

South Williamsburg

サウス・ウィリアムズバーグ

佐久間裕美子のウォーキン NY

VOL.01

文・写真／佐久間裕美子

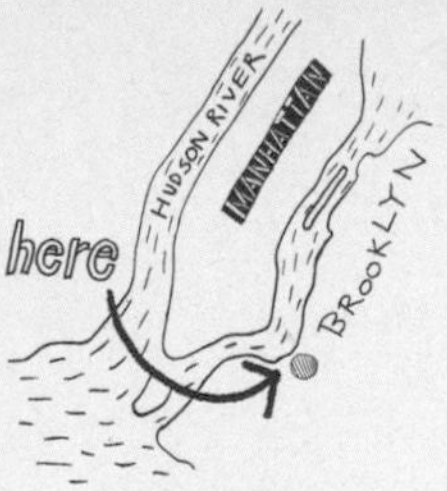

area data

マンハッタンからウィリアムズバーグ橋を渡った対岸のエリア。マンハッタンからはじき出されたアーティストたちが、1990年代から流入してコミュニティを形成。地下鉄L線のベッドフォード・アベニュー駅、J・M・Z線のマーシー・アベニュー駅至近。天気が良ければウィリアムズバーグ橋を徒歩で渡るのもいい。

新しいライフスタイルを考えさせられるエリア。

エリアの至るところでストリートアートを見かける、そんな街。

ケントアベニュー沿いにイーストリバーを散策するのがおすすめ。

最近は、ロフトを改造した高級住宅が建設されるようになった。

8

2

1

SPROUT HOME 1
スプラウト・ホーム

1 今流行のテラリウムも充実。植木関係のアクセサリーや雑貨はインテリアのヒントにしたい。**2** レンガ造りのスペースを、あらゆる種類のグリーンが埋め尽くす空間。**3** こちらは植木専門だけれど、同じグランドストリート沿いに、系列のフローリストもある。そちらもぜひのぞいてみて。

44 Grand St., Brooklyn ☎718-388-4440 10:00～19:00 無休　奥には屋外用の緑を配した庭園が。

3

Oroboro Store オロボロ・ストア 3

8 天井から吊り下がっているのはLAのヘザー・ルヴィーンの作品。アーティストものの雑貨やアクセサリー、オーガニックコットンの衣類など。**9** セバスティアン・サルガドの写真集、植物や鉱山についての本など、エイプリルによるユニークな本のセレクション。**10** ガラスの壁の向こうには、ネオ・ヒッピーの美しい世界が。**11**〈ル・フィ・ド・ロ〉のカラフルなキャンドルは各＄60。

326 Wythe Ave., Brooklyn ☎718-388-4884 11:00～19:00 無休　元〈ビューティフル・ドリーマーズ〉。

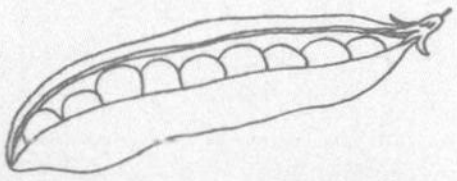

Sharktooth 2
シャークトゥース

4 1900年以降のラグを中心に、そのまま売っているものもあれば、染め直して売っているものもある。**5** 窓のそばに指くらいのサイズの小さな陶器がランダムに並べてあるのがキュート。**6** ラグと一口に言ってもシャグ、クロスとタイプは様々。その他、キルト、タオルなども扱っている。**7** 別のエリアから移転して織りの店〈ナイトウッド〉の店舗を引き継いだ。

111 Grand St., Brooklyn ☎718-451-2233 12:00～19:00（月は要予約）無休　染めや修復も。

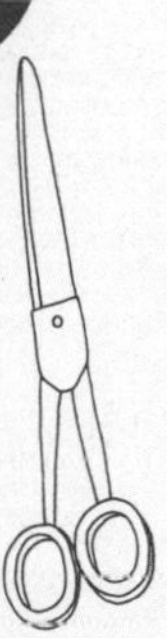

5
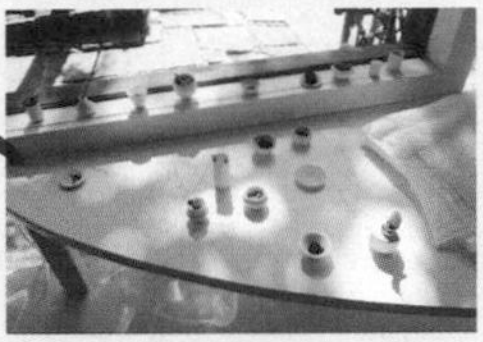

9

7

10

11

6

4

ウィリアムズバーグが熱いといわれて久しいけれど、すっかり観光地化してしまった観のあるベッドフォード・アベニュー駅の周辺や、最近どんどん新しいレストランやショップがオープンするノースサイドに比べて、日常的に訪れることが一番多いのは、サウスサイドだったりする。

手作りのクラフト文化が花咲くエリア。

ブロードウェイの〈ダイナー〉が1990年代後半にオープンして以来、北に向かって発展してきたウィリアムズバーグ。とはいえ、個人的には南側を歩き回るのが好き。気がつけば、ブルックリンで花咲くハンドメイドのクラフト文化の中心地になっていて、新しいアーティストやカルチャーを発見するのが、街歩きの新しい楽しみになっている。

たとえば〈ビューティフル・ドリーマーズ〉から改名した**〈オロボロ・ストア〉**は、いつ訪れても新しい発見をくれる店。オーナーでスタイリストのエイプリルが、自分のまわりの地元アーティストや、カリフォルニアの作り手による衣類やジュエリーで構成するセレクションに、アフリカや南米などの旅先で見つけてきた小物を、程よくミックスしている。**〈スプラウト・ホーム〉**は、気持ちのいい植木関係の店。テラリウムやインテリア小物が充実しているのもいいけれど、緑がぎっしり詰まった空間に足を踏み入れる、ただそ

22

20

Narnia ナルニア 4

12 ドリッグス・アベニューの静かな一角にある。知らなければつい通り過ぎてしまいそう。**13** 特に時代設定はないけれど、そこはかとなく色気のあるフェミニンさを感じさせるセレクション。**14** この光の感じが、いつもLAのような空気感の店だと思う。**15** リビングルームのようなプライベート感あふれるインテリア。ちょっぴり雰囲気の違う空間がふたつある。

672 Driggs Ave., Brooklyn ☎212-979-0661 11:00～19:00 無休

12

21

13

DINER ダイナー 6

20 質素というか、飾り気のないバー。**21** 座るとスタッフがやってきて、テーブルクロス代わりの白紙にメニューを書いてくれる。**22** '90年代後半、当時は歩くのも危険といわれたウィリアムズバーグの南端に、友人のグループで、使われていなかった建物を見つけてレストランをオープン。

85 Broadway, Brooklyn ☎718-486-3077 11:00～17:00（土日10:00～16:00）18:00～24:00（金土～翌1:00）無休

15

14

17

Williamsburg.

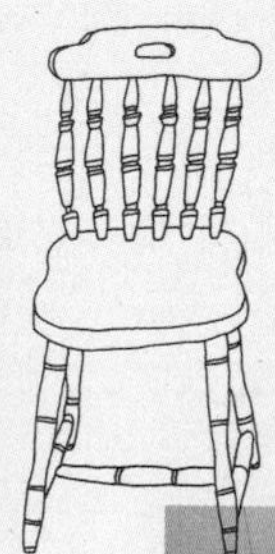

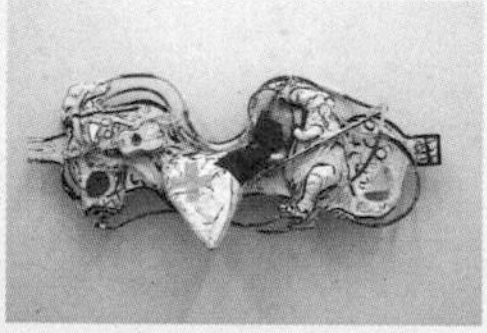
18

The Journal Gallery ザ・ジャーナル・ギャラリー 5

16 2015年末に開催されていたアガサ・スノウの個展「コンティナム」から。N1ストリートに移動して、天井の高いスペースを獲得した。**17** 今もウィリアムズバーグに残るウエアハウス風の建物。展示のフライヤーを外壁に貼っている。**18** 同じ展示から『ディスタント・カズンズ』。**19** 同じく『グッドリー』。スノウは2015年グッゲンハイム美術館でもビデオ作品を展示した。

106 N 1st St., Brooklyn ☎718-218-7148 12:00～18:00 月休　移転しながら成熟。

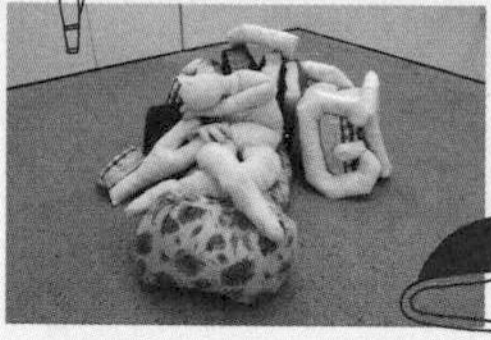
19

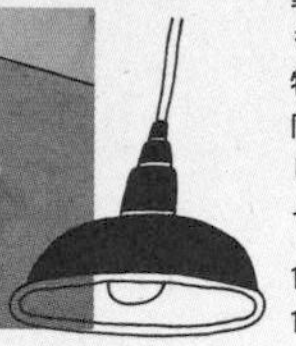

16

れだけで、なんだか体が浄化されるような気すらしてくる。

ウィリアムズバーグというエリアには、ヴィンテージがよく似合う。一つ一つ光る一点ものが多い**〈ナルニア〉**は、品揃えの豊富さもさることながら、リビングルームのようなセッティングがいい。アトランティック・アベニューから移転してきた**〈シャークトゥース〉**では、ヴィンテージのラグやテキスタイル類を取り扱う。そのまま売っているものもあれば、染め直しているものもあって、古いものを使い続けるための工夫を考えさせてくれる。

かつてはこのあたりに多数あった、DIY系のアートと音楽のスペースの大半が姿を消してしまったのは寂しいかぎりだけれど、イースト・ヴィレッジでマガジンと連動するスペースとしてスタートし、ウィリアムズバーグらしい大型ロフトに移動した**〈ザ・ジャーナル・ギャラリー〉**のがんばりは頼もしい。オルタナティブな視点からアーティストのコミュニティを形成してきたわけだけれど、その過程で所属アーティストたちもしっかり成長してきたから、最近のショーを見ていると、ギャラリーとしての成熟度とスケール感が増してきている気がする。

必ず立ち寄りたいターロウの店。

ウィリアムズバーグの南端には、アンドリュー・ターロウが何年もかけて、少しずつ開いた店がいくつも

28

27

24

23

MARLOW GOODS

8

マーロウ・グッズ

27 革製品は、食用にした牛や羊の革を使って、ケイトがデザインしたもの。衣類は、ローカルデザインと輸入をミックス。**28** スタッフが発見したというアーティスト、リサ・ジョーンズ作のカード。**29** アンドリュー・ターロウの妻ケイト。店に置いてある商品についてならなんでも知っている。

81 Broadway 2nd Floor, Brooklyn ☎718-384-1441 12:00〜18:00 日月休　現在はオンラインのみ。

25

Marlow & Sons

7

マーロウ&サンズ

23 日が落ちた瞬間から賑わうダイニングルーム。オイスターと日替わりのメニューが名物。予約を取らないので要注意。**24** オイスターと日替わりのメニューが名物。**25, 26** 手前のスペースはカフェになっていて、腕のいいバリスタがいる。〈マーロウ・グッズ〉の一部の商品はこちらでも。

81 Broadway, Brooklyn ☎718-384-1441 8:00〜16:00 17:00〜24:00 無休　自家製のペストリーは絶品。

29

32

26

33

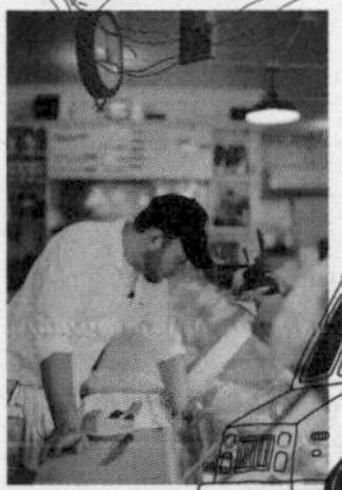

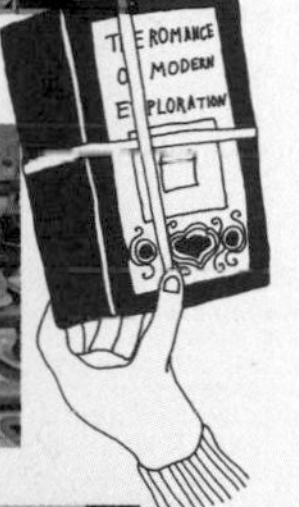

30

Marlow & Daughters

9

マーロウ&ドーターズ

30 系列のレストランで使われているのと同じ農家から入荷するチーズやハム。**31** ここで肉を買い始めてから、スーパーの肉が買えなくなった。**32** レトロなブルーがかわいい、クラシックな雰囲気の文字で書かれた「トップ・クオリティ」が目立つ。**33** 肉はその場で切ってくれる。フレッシュさは街で一番かも。**34** パスタや穀物類、ハーブ、生鮮食品なども。つい散財してしまう自分に気づいて、思わず苦笑してしまう。

95 Broadway, Brooklyn ☎718-388-5700 11:00〜20:00(日〜19:00) 無休　日々の買い物はここで。

34

31

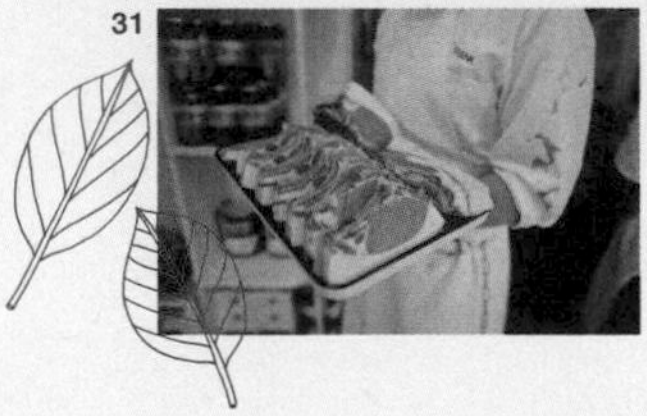

ある。アンドリューは、自分が信用する近郊の農家から直接食材を得て、系列のレストランや食料品店**〈マーロウ&ドーターズ〉**で分ける。'90年代後半に最初に開いたという**〈ダイナー〉**は、建物はプレハブみたいだし、床もゆがんでいるのに、なぜか温かい空気が流れていて、何しろバーガーが絶品。隣の**〈マーロウ&サンズ〉**は、その日仕入れられる食材によってメニューが替わる。同じ食材を使いながら、それぞれのシェフのスタイルが違うので、いつもどちらの店で食べようか、真剣に迷う。結局、ランチは〈ダイナー〉でバーガー、ディナーは〈マーロウ&サンズ〉で食べることが多い。

　アンドリューは、自分の店で食用に使う肉から出る無駄を減らすために、革のバッグや羊の毛を使ったカーペットや衣類を商品化するようになった。それが高じてブランドになったのが**〈マーロウ・グッズ〉**だ。アンドリューの妻のケイトがデザインする革グッズ、アンドリューと二人で出かけた旅先で見つけてきたものや、スタッフが中心になって作る雑誌『ダイナー・ジャーナル』などをレストランの一角とオンラインで売っている。

　今、サウス・ウィリアムズバーグで好きな店の共通項は、オーナーの世界観がふんだんに表現されていること。これまで簡単に使ってきた「ライフスタイル」という言葉の意味を、あらためて考えさせられる気がする、そんな店が点在している。

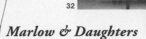

「イカした店主のお気に入り」は、ニューヨークで流行の店のオーナーが登場し、自分の気に入っている店を紹介する、リレー形式のコラムです。次回以降、オーナーからオーナーへお気に入りのバトンが渡されていきます。

Owner's Favorite

イカした店主のお気に入り VOL.01

カイル・ディウーディさん

フリーランスのデザイナー、ライター、キュレーターとして活動しながら、機能性のあるアートとファッションに特化した〈グレイ・エリア〉をオープンした。

ウェスト・ヴィレッジからグレート・ジョーンズSt.に、さらにオーチャードSt.に移転。手前がブックショップ、奥がギャラリーになっていて、アートショーなどのイベントも頻繁に開催。写真右がブレンダン。

アートファンにはたまらない、肩肘張らないギャラリー兼書店。

〈グレイ・エリア〉は、有名古書商のグレン・ホロヴィッツの下で、イースト・ハンプトンで行われる2014年夏のレジデンス・プログラムに参加して、本をセレクトする栄誉にあずかることになったの。普段から本のことはいつも私の心の中にあって、実際、この原稿も本に囲まれて書いているのだけれど、その本の多くは、〈カーマ・ブックス〉からやって来たもの。長さの違う白い木材を組み合わせたインテリアのチャーミングな空間は、新鮮で、快適な雰囲気を醸し出している。主宰者のブレンダン・デュガンは、名前の知られたアーティストのショーを頻繁に開催するけれど、いつも気楽で、肩肘張らない雰囲気なのがいい。ブレンダンの鋭い視点は、ブックショップとしての機能の中にも生きていて、いつも、リソースになるような書物を求めてやって来るこの店のクールな顧客たちのためにディスプレイされている。一部はこの店で印刷して販売し、残りはブレンダンがキュレーションする書籍とモノグラフとしてコレクションされているのも魅力ね。

Karma Books

〈カーマ・ブックス〉38 Orchard St., New York ☎917-675-7508 http://karmakarma.org アート系書籍や写真集などのデザインを数多く手がけるデザイナー、ブレンダン・デュガンがオーナー。

Munemi's Beauty Pick

Munemiのビューティ ピック VOL.01

体を内側から美しくする、総合的なメディ・スパ。

カイロプラクティック、ヨガなどを取り入れた総合ウェルネスの専門家、ドクター・ジョーが手がける、メディ・スパ〈スペース・フォー・ウェルネス〉。体を全体で捉え、体内から美と健康を導くトリートメントを提供し、丁寧なカウンセリングを基に個々に合ったプログラムを組んでくれる。カイロ、はり、マッサージ、デトックス、アロマセラピーを総合的に取り入れたアプローチは、ドクター・ジョー以下知識豊富なスタッフによる施術だから安心。

ドクター・ジョーの初診とカイロは1時間$200。清潔感あるサロンで安心して施術が受けられる。

SPAce For Wellness

〈スペース・フォー・ウェルネス〉95 University Place 8F, New York ☎212-460-0001 ウッドと白壁の気持ちのいい内装でリラックス。

文・写真／ムネミ・イマイ

A Bite Of The World

NY味覚旅行 VOL.01

丼飯に敷き詰められた高菜炒めと挽き肉ソースの上にポークチョップ。$5.25

おろしニンニクとラー油で食べるワンタン、不思議な食感の干し豆腐、各$3.50。

チャイナタウンの一番短いストリートにひっそりとある隠れ家的台湾料理店。

台湾食堂で故郷九州を思う。

日本を離れてみてあらためて感じること、それは日本人であると同時にアジア人であるということ。様々な場面でそれを痛感する。特に食においては、アジアの食にどれだけ救われてきたことだろう。足しげく通うチャイナタウンで、なかでも一番お世話になっているのがこの店。店名の通り、ポークチョップが有名な定食屋。この店の看板メニュー、ポークチョップ・オーバーライスを食べに通っている。ご飯の上にたっぷりと敷き詰めた高菜炒めと、それにスパイスの効いた挽き肉ソース、そしてこってりと味つけされたポークチョップがその上にのるボリューム満点の丼だ。九州出身の私にとって独特の風味の高菜炒めはとても懐かしい味。台湾の丼を食べながら、遠い故郷を思う。

Taiwan Pork Chop House

〈タイワン・ポークチョップ・ハウス〉3 Doyers St., New York ☎212-791-7007 10:30～21:00 無休

文・写真／松尾由貴

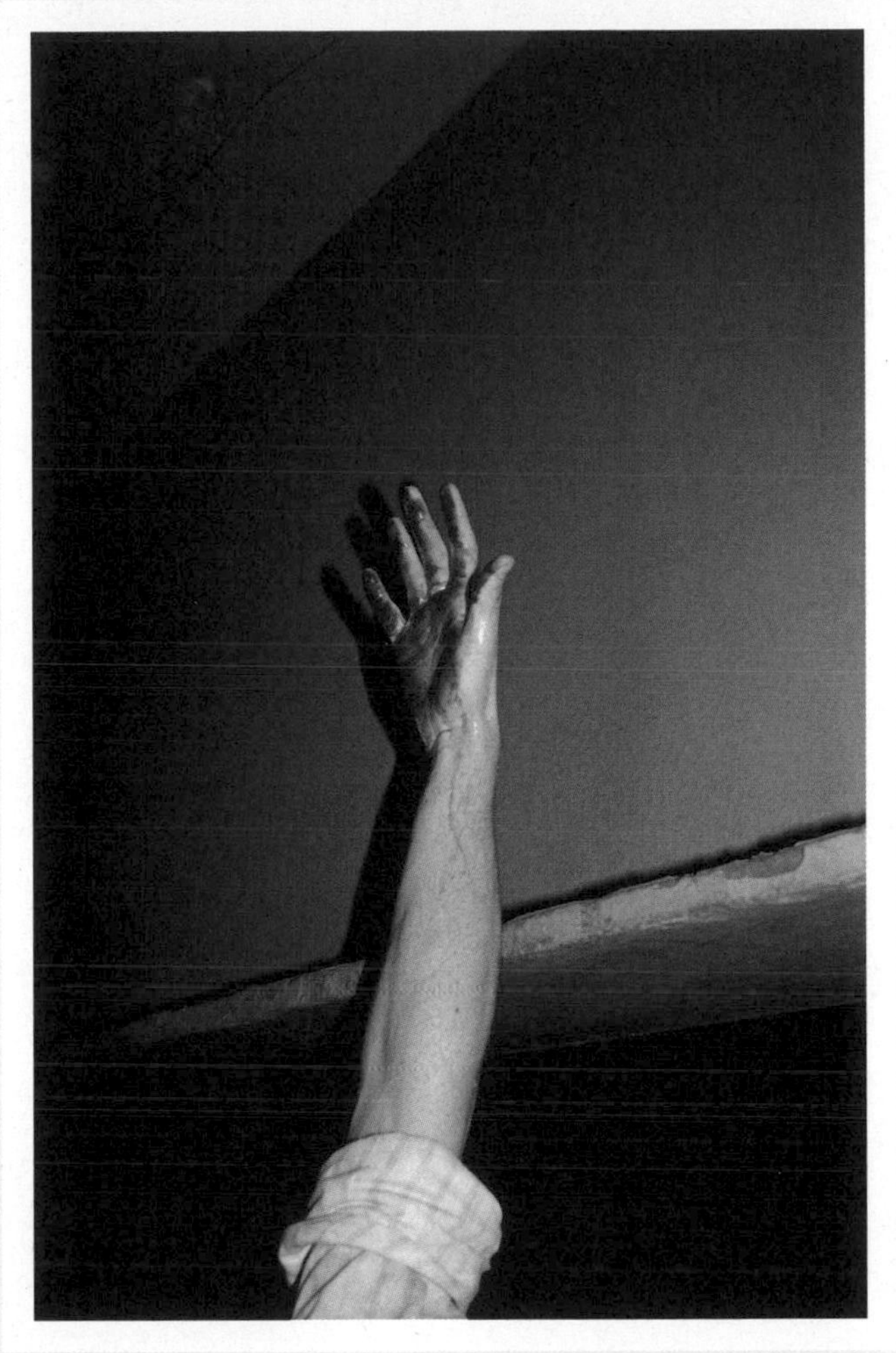

My New York Moment

NY在住写真家のフォトエッセイ　VOL.01

Coley Brown

コリー・ブラウン／ディープサウスに育ち、2006年にニューヨークに移住。ファインアート系写真家として活動し、日本ではHIROMIXがキュレーションするグループ展にも参加した。

「知らなかったニューヨーク」の一枚。

ルイジアナで一緒に育った、幼馴染みのウィンストンと一緒にニューヨークに引っ越したのは2006年の夏。知り合いもいなかったし、何がどこにあるのかわからなかった。マンハッタンに行くのに10駅分の地下鉄に乗っても、街の構造を理解できない。２人で自転車を手に入れた途端、地図を攻略し始めた。遠くの場所にも行くようになった。地下鉄に乗っていたら行かないようなところにも。この写真はハドソン川沿いのウェストサイド・ハイウェイまで、長い道のりを自転車に乗っていったときに撮った。突然雷に遭って、橋の下で雨をよけ、雨がやむまで話をした。写真のウィンストンの腕は、いつも当時の自分を思い出させてくれる。

& New York

Walk In NYC

Nolita

ノリータ

佐久間裕美子のウォーキン NY

VOL.02

文・写真／佐久間裕美子

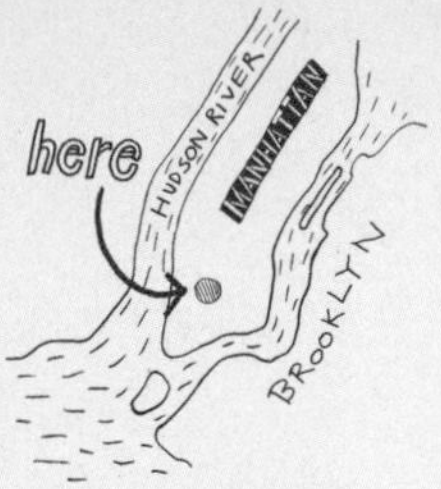

area data

ソーホーの東側、リトル・イタリーとチャイナタウンの北側に位置する、小ぶりの細い道に小さな店が並ぶエリアがノリータ。低層のアパートがひしめく小径《こみち》で、〈ジタン〉や〈ハバナ〉など昔から営業を続けるカフェ、イタリア系のペストリーショップ、アジア系のレストランなどが共存しながら、南に拡大しつつある。

存続が危ぶまれる彫刻公園「エリザベス・ストリート・ガーデン」。

エリザベスとプリンスの角にあるアンティークギャラリーの前で。

文字を並べて「平和にチャンスを」と表現してあった街角。

古さと新しさが混在する、
NYらしいエリアの一つ。

10

9

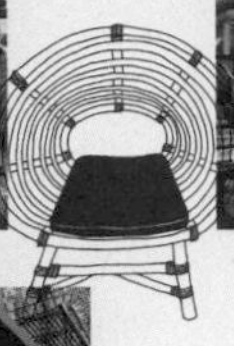

4

1

Love, ADORNED

ラブ・アドーンド

1 この辺りにしては間口の広い店構え。**2** ネイティブ・アメリカンや中東、中南米の影響が色濃いセレクション。アクセサリーからキャンプ用品まで幅広い品揃え。**3** ロリと愛犬のバード。いつも世界を飛び回っているが、タイミングが良ければ会える。**4** タトゥーショップ〈ニューヨーク・アドーンド〉が手狭になったから開けたのがここ。

269 Elizabeth St., New York ☎212-431-5683 12:00〜20:00（日〜19:00）無休

2

3

11

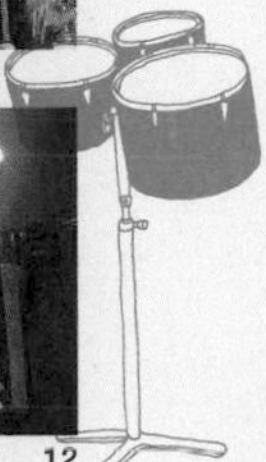

12

The Quality Mending Co.

ザ・クオリティ・メンディング・カンパニー

9 小さいけれど、子供服のコーナーもある。**10** Tシャツやスウェットシャツは超充実している。状態がいいものだけを選択して取り扱っているという印象。**11** ノリータの同じ一角に10年以上構えている店。不定期にアーティストの作品を飾ることもある。**12** ニットやシャツのセレクション。ロケーションの割には、価格帯も良心的だ。2010年からはオリジナルの商品を扱い、今の店名に改名した。

15 Prince St., New York ☎212-334-5334 12:00〜19:00（木金土〜20:00）無休

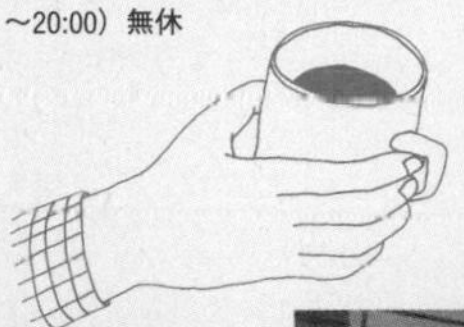

7

5

TACOMBI at FONDA NOLITA

タコンビ・アット・ファンダ・ノリータ

5 人気のタコスは「フライドフィッシュ」。紫キャベツがごっそりのっている。**6** 店内にあるジューススタンド。ちょっと甘いけどこの日はスイカジュースを飲んだ。**7** ガレージを改造した半分アウトドアの店構え。冬でも中は意外に暖かい。**8** メキシコのビーチタウンから持ってきたヴィンテージのトラック。タコスはここで作られる。

267 Elizabeth St., New York ☎917-727-0179 11:00〜24:00（金〜翌1:00）土日9:00〜翌1:00 無休

8

6

目まぐるしく変わっているようでもあり、昔から変わらないようでもあるノリータ。リトル・イタリーやチャイナタウンの伝統と、コンテンポラリーが交わる場所。ずっと通い続ける店と、最近できた秀逸の店がある。今ならこんな気分で歩きたい。

入れ替わりの激しい、興味の尽きないノリータ。

リトル・イタリーの北側（ノース・オブ・リトル・イタリー）を略して「ノリータ」。本来は南北はハウストンとブルームの間、東西はバワリーとラフィエットの間の、小さなストリートが並ぶエリアを指すのだが、ちょっとずつブルームの南側にも店が増えてきて、エリアが拡大しているような気がする。ソーホーの東側という便利な立地にもかかわらず、ストリートが入り組んでいるからか、ショップの入れ替わりが意外と激しくて、気がつくと店がなくなっているなんてこともよくある。でもだからこそ、週末だってゆっくり歩ける。会いに行きたい人もいる。なんだかよくわからない店も多いけれど、何度でも行きたい店もある。

近所のタトゥーショップのオーナーでもあるロリ・レベンが開けた〈ラブ・アドーンド〉はそんな店の一つだ。ロリは旅人で、コレクターでもある。「旅先で見つけたものを集め続けて、もうどうしようもなくなったから店を開けた」というロリの店を訪れると、欲しいものが必ず

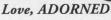

NOLITA

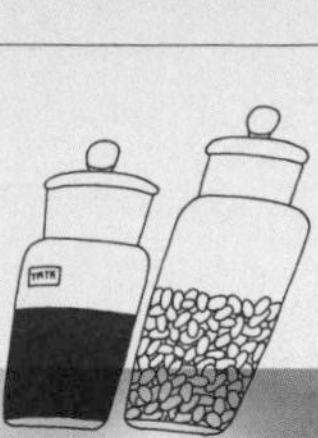

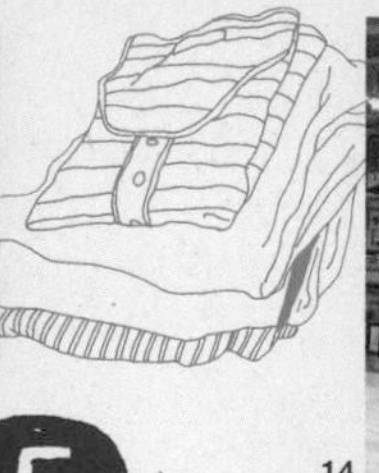

16

14

13

17

15

5

A Détacher

Aデタッチャー

16 階段を上って店に入るこの辺りでは珍しい作り。1998年にオープンと、古株だ。**17** 独特の緩やかなカットに特徴があるオリジナルのコレクションに、オーナーのモナが世界中で集めてきたアクセサリーが並ぶ手作り感溢れる店内。**18** 南米で作る石鹸、日本の陶器、フランスのアンティークと、「自分の好きなもの」だけを厳選。

185 Mulberry St., New York ☎212-625-3380 12:00〜19:00 日13:00〜18:00 月休

4

McNALLY JACKSON STORE
GOODS FOR THE STUDY

マクナリー・ジャクソン・ストア
グッズ・フォー・ザ・スタディ

13 本店のブックストアから歩いて数分のところにある。**14** インテリアの参考にもなりそうなショップ。オーナーのサラ・マクナリーのセンスとこだわりを感じさせる。**15**「書斎」という意味のステーショナリー専門店。店内には文机がいくつもあって、文房具がディスプレイされている。

234 Mulberry St., New York ☎212-219-2789 12:00〜20:00 無休　土産にグリーティングカードも。

18

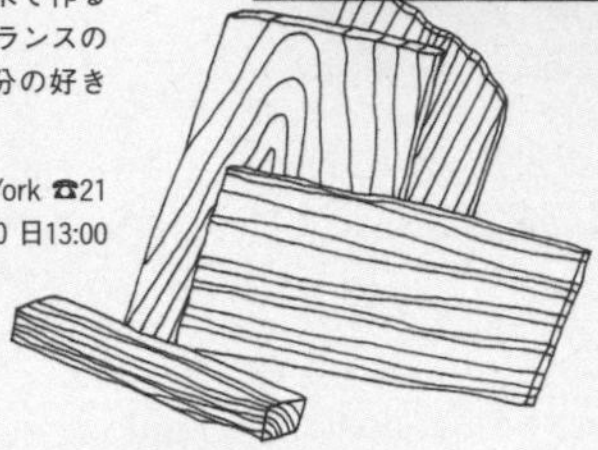

CREATURES of COMFORT

クリーチャーズ・オブ・コンフォート

19 ブティックだけど、アーティストの作品も多いのが気に入っている。天井からつり下がっているのも作品。**20**〈コズミックワンダー〉から〈ケンゾー〉まで。**21** 日本語に訳すと「心地よさの生き物」？ **22** ブルックリン在住のアーティスト2人組マヤとアーニャが始めたブランド〈トロール〉。陶器のジュエリーやオブジェがキュート。

205 Mulberry St., New York ☎212-925-1005 11:00〜19:00 日12:00〜18:00 無休

21

22

6

20

19

ある。調理器具のこともあるし、キャンプ用品のこともある。ジュエリーもあれば、タオルも売っている。何の店なのかよくわからない。定義しづらいのがいいのだ。

　その隣にある**〈タコンビ〉**は、メキシコのビーチタウンのタコス・スタンドをそのまま持ってきたというカジュアルなレストラン。卵の入ったブレックファスト・タコスを食べに行くこともあるし、夜、小腹を満たしに行くこともある。ガレージを改造し、バスを持ち込んだスペースの雰囲気も好きだし、適度に放置してくれるから気が楽なのもいい。

　プリンス・ストリートの**〈ザ・クオリティ・メンディング・カンパニー〉**は〈イレブン・ヴィンテージ〉と名乗っていた頃から大好きだった店。かつてはヴィンテージの専門店だったけれど、2010年に改名してからは、ローカルメイドのオリジナルも作るようになった。

　近くにあるインディペンデントの書店**〈マクナリー・ジャクソン〉**が運営するステーショナリー専門店は、最近オープンしたお薦めの一つだ。こだわりをもった商品のセレクションがとてもいいのだけれど、古いポスターや楽譜なんかが額に入って売られていて、それを眺めているだけでもけっこう楽しめる。フィッツジェラルドの小説の一節や、マティーニのレシピが入っていたりするグリーティングカードが欲しくなった。

　〈Aデタッチャー〉は、独特な世界観をもつデザイナー、モナ・コワ

29

28

Storefront for Art and Architecture

ストアフロント・フォー・アート・アンド・アーキテクチャー

27 アートと建築をテーマにした非営利のギャラリーは、展示によってがらりと姿を変える。**28** ケンメアストリートとラフィエットストリートの角の長細いスペース。扉の開き方が面白い。**29** 訪れたときは赤いインクを使った展示をしていたが、ポップアップ、上映会などイベントも多彩。

97 Kenmare St., New York ☎212-431-5795 11:00〜18:00 日月休　独自の番組をネット放送。

27

Saigon Vietnamese Sandwich Deli

サイゴン・ベトナミーズ・サンドイッチ デリ

23 カラフルなネオンサインとチープな画像がキッチュ。**24** フォトジェニックとはいえないけれどたっぷりの野菜とスパイシーな挽き肉が独特の味わい。ここ数年ブームの感すらある「バンミー」だけど、＄５で食べられるこの店はピカイチ。**25** なんということもないスタンドだけど、いつも人がいる。ニューオーリンズ名物〈カフェ・デュ・モンド〉のコーヒー缶も買える。**26** この看板が目印。

369 Broome St., New York ☎212-219-8341 8:00〜19:00 無休

23

24

25

26

32

31

warm ウォーム

30 この店を発見するきっかけになった「ヒッピー歓迎」のサイン。**31** 洋服より何より、ディスプレイが好き。**32** エントランスを入るとすぐにあるティーピー。オーナーのライフスタイルや世界観が垣間見える店には親近感を抱いてしまう。**33** 奥にはアルティザン（職人）系のキッチン用品やビューティ用品が。

181 Mott St., New York ☎212-925-1200 12:00〜19:00(日〜18:00) 無休　都会のヒッピーの店。

33

30

ルスカが、１９９０年代後半から開いている店で、この店がまだ存在し続けることにちょっぴり安心感がある。**〈クリーチャーズ・オブ・コンフォート〉**は、そのネオ・ヒッピー的な肩肘張らないスタイルに惹かれるのもあるけれど、〈トロール〉のようなブルックリンのアーティストや、〈コズミックワンダー〉のような日本のブランドを扱っているのも応援したい理由の一つ。

この辺りに来ると、どうしても買ってしまうのがベトナム・サンドイッチ「バンミー」。**〈サイゴン・ベトナミーズ・サンドイッチ デリ〉**のバンミーは、５ドルという奇跡的な値段もいいし、挽き肉たっぷり、スパイスの効いた味もお薦め。**〈ストアフロント・フォー・アート・アンド・アーキテクチャー〉**は建築とアートをテーマにした非営利のギャラリー兼イベントスペースで、そのユニークな視点からのキュレーションが気になるので、時間があるときはなるべく寄るようにしている。

ブルーム・ストリートの北側にある**〈ウォーム〉**も、ニューカマーの一つ。ある夜ふらふら歩いていたときに「ヒッピー、いつでも歓迎」というサインに反応してしまった。洋服のセレクションよりも、キッチン用品や雑貨、そして全体的に漂うボヘミアンな空気に共感がもてる。

少し前まで、ノリータから足が遠ざかっていた。今また、心地が良い、カジュアルだけど質の良いものが見つかるエリアになった気がする。

Owner's Favorite

イカした店主のお気に入り VOL.02

ブレンダン・デュガンさん

本のデザイナーで〈カーマ・ブックス〉の主宰者。アート本のデザインを手がけながら、レアブック専門の〈カーマ〉をオープン。最近はギャラリー運営も。

〈アーネストソーン〉の店舗デザインなどを手がけていたカルロス・クイラーテが、パートナーとともに2009年にオープンしたカフェ。温かみのあるインテリアも素敵。写真右がオーナーのカルロス。

ハートフルなメニューが好評の、コミュニティ感あるレストラン。

〈カーマ・ブックス〉は元のウェスト・ヴィレッジのロケーションから、グレート・ジョーンズ・ストリートに引っ越して、ブックストアとギャラリーの機能を兼ね備えたスペースをオープンした（その後、再移転）。周辺は、アンディ・スペードがオフィスを構えていて、僕の周りのコミュニティが息づいているのだけれど、同時に次々と新しいショップがオープンして、注目のエリアでもある。コミュニティ感を感じさせてくれる存在の一つに、ボンド・ストリートの〈ザ・スマイル〉がある。ギャラリーでオープニングをやった後は、必ずここでディナーを食べるし、日中、打ち合わせをするのにも使う場所。この店がいいのは、いつでも歓迎されているという気持ちにさせてくれるところ。スタッフはみんなアーティストで、オーナーのカルロス以下、〈カーマ〉を助けてくれるサポーターでもある。アーティストのブライス・マーデンの娘のメリアがシェフだということもあるし、互いに助け合う関係でもある。こうやってコミュニティのシーンはできていくんだ。

The Smile

〈ザ・スマイル〉26 Bond St., New York ☎646-329-5836 8:00〜16:30（土日10:00〜）18:00〜23:00（土日〜22:00）無休　場所柄、クリエイティブ系の人たちの打ち合わせ場所に使われることも多い。

Munemi's Beauty Pick

Munemiのビューティ ピック VOL.02

カスタムメイドのアーユルヴェーダ・スパ。

上／アーユルヴェーダの雰囲気にぴったりの空間。下／オリジナルのスキンケアは肌質別の展開。

インドで5000年の歴史をもち、生命科学と呼ばれるアーユルヴェーダ。〈プラティマ・スパ〉は、その道のパイオニアであるドクター・レイチャーによるホリスティック・スパ。薬剤師で植物学者でもあるドクターが、悩みに応じたコンサルテーションに基づいて、トリートメントをしてくれる。メンタルヘルスにも気を配ったメニューには、瞑想《めいそう》もある。ハーブをふんだんに使ったスキンケアラインもお薦め。カスタムメイドで調合もしてくれる。

PRATIMA SPA

〈プラティマ・スパ〉110 Greene St. #701, New York ☎212-581-8136 10:00〜20:00（土〜19:00）　月曜はショップのみ営業。

文・写真／ムネミ・イマイ

A Bite Of The World

NY味覚旅行 VOL.02

7種のミート系煮込み料理が味わえるプラッター$25（インジェラ付き）。

パン、皿、カトラリーを兼ねたエチオピアの酸っぱいクレープ、インジェラ。

伝統的なテーブルセッティング、バスケット細工の「Mesob」も10席ほどあり。

大胆に手で食す、エチオピア料理。

行ってみたい国や都市を数えだすと両手では収まらない。距離と現実味から、両手から漏れたところにあるのがアフリカ大陸かもしれない。いつか訪れることがあるのだろうか？　まるで自問自答をするみたいに訪れる場所がある。エチオピアの伝統的な料理を食べさせてくれるレストランだ。トレーに敷かれた大判のインジェラの上に黄色、オレンジ、茶色のグラデーションの煮込み料理が並ぶ。インジェラとはエチオピア料理に欠かせない、パン、皿、カトラリーを兼ねた食べられる道具。発酵させたテフ粉の独特の酸味とスポンジのような食感が癖になる。それでスパイスの効いたビーフやラムの煮込み料理を包むと、これまでに出合ったことのない味覚の世界へと連れていかれる。

QUEEN of SHEBA

〈クイーン・オブ・シバ〉650 10th Ave., New York ☎212-397-0610 11:30〜23:00（金土〜24:00）無休

文・写真／松尾由貴

My New York Moment

NY在住写真家のフォトエッセイ　VOL.02

James Ryang

ジェイムズ・リアング／南カリフォルニア出身。大学卒業後、ニューヨークに移住し、セバスチャン・キム、デビッド・シムズなどに師事した後に、独立。エディトリアルと広告で幅広く活躍。

自分の原点である、焦点の合わない写真。

これはポラロイドで撮った。ニューヨークに引っ越したばかりの2001年、この街にとどまりたいと自覚した頃、カナル・ストリートで。マニュアルのレンズが付いたポラロイド680で、結果的に夜、焦点の合わない写真をたくさん撮った。この写真は、当時の感覚を思い出させてくれる。この街の音や明かりに慣れながら、日々外に出て、新しい人々と出会い、夜更かしして、ダウンタウンから部屋のあるアップタウンに帰宅するうちに、多くの写真を撮った。今も、なぜこの写真が自分にとって重要なのかを考える。すべてが新しくて、クリエイティブであることが、生きる行為だったとき。今もこの街からインスピレーションを受ける。

& New York

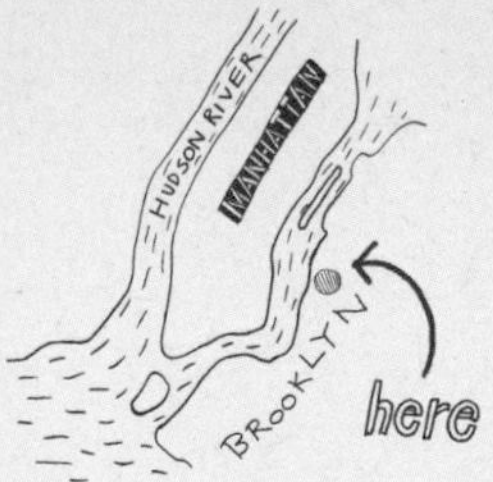

Greenpoint

グリーンポイント

佐久間裕美子の
ウォーキンNY
VOL.03

文・写真／佐久間裕美子

area data

マンハッタンからイースト・リバーを越え、ブルックリンの北端に位置するグリーンポイント。伝統的にはポーランド人街として知られる。公共交通機関の便の悪さから、マンハッタンから近いにもかかわらず開発が遅れてきたが、この何年かでめっきりヒップなエリアになった。北端の川のそばで見る夜景は絶景。

ブルックリン文化を牽引する新しいエリア。

グリーンポイント・アベニューの東寄りは昔ながらの商店街という趣。

北上にするにつれて店が少なくなるけれど、散歩にはもってこい。

ところどころに見かけるポーランド語の看板が、このエリアの特徴。

WOLVES WITHIN

ウルブス・ウィズイン

10 ウィメンズのセレクションはカジュアル中心。**11** 入り口から右側がメンズ、左側がウィメンズ。洋服の隙間やフロアに、雑貨やアーティスト物のオブジェがちりばめられている。じっくり見てほしい。**12** 雑貨やインテリア小物のセレクションは秀逸。ウェブで音楽のキュレーションなども。

174 Franklin St., Brooklyn ☎347-889-5798 12:00〜20:00（日〜19:00） 無休

4

1

10

11

12

5

Eastern District

イースタン・ディストリクト

1 チーズの大半はアメリカ産。フランス産に比べて実験の精神が強いから新しい味に出合える。**2** 地元スイーツは〈マスト・ブラザーズ・チョコレート〉だけではないのだ。**3** 素材の組み合わせが新鮮な大人のジャム〈アナーキー・イン・ザ・ジャー〉はこの店の裏の共同キッチンで作られている。**4** 店の奥には少量生産のクラフトビールをドラフトで購入できるカウンターもある。**5** レトロ感溢れる店先。

1053 Manhattan Ave., Brooklyn ☎718-349-1432 11:00〜20:00（金土〜21:00） 日12:00〜18:00 無休

2

3

8

6

Achilles Heel

アキレス・ヒール

6 イースト・リバー沿いのかつて波止場だった場所にひっそりとある。**7** 軽食とカクテルが中心の店。**8** 午後はクリエイターたちが打ち合わせをしたりコンピューターで仕事をしたり。夜になるとマンハッタンからも人がやって来てその賑わいぶりには驚くことも。**9** 閉店したまま、長年放置されていたのを、ウィリアムズバーグでレストランを経営するアンドリュー・ターロウが発見した。

180 West St., Brooklyn ☎347-987-3666 14:00〜翌2:00（土日12:00〜） 無休　ヒップスター御用達。

9

7

マンハッタンで遊ぶことよりブルックリンに出かけることが増えた数年前、運良く移り住めた先がグリーンポイントだった。地下鉄のアクセスが、クイーンズとブルックリンの間だけを往復するGトレインしかないことが、再開発の波を食い止めてきたけれど、ウィリアムズバーグのすぐ北という立地もあって、ここ数年でレストランやブティックが急激に増えて、マンハッタンの友人たちもわざわざ対岸に来てくれるようになった。昔ながらのポーランド系商店と、新参のクリエイターたちが経営する新参スポットが入り交じって、独特の雰囲気をつくっている。

ここ数年で劇的に変わった グリーンポイントの食。

思えば、引っ越した当初は食料品を買う場所も、テイクアウトの選択肢も少なかった。それがここ数年で、屋上菜園や野菜料理のレストランが増えるなど、食の世界が劇的に広がった。その一翼を担うのが〈**イースタン・ディストリクト**〉。アメリカ国産のクラフト系チーズ、ドラフトで飲める少量生産のビールを専門に扱う店で、それまで知らなかった味とたくさん出合った。ブルックリン土産のスイーツ類や日替わりのサンドイッチも充実していて、短期滞在者にもお薦めできる店。

ウィリアムズバーグでレストランや食料品店、ホテルを経営する〈マーロウ&サンズ〉のアンドリュー・

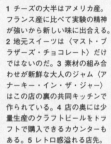

21

13

Home Of The Brave 4

ホーム・オブ・ザ・ブレイブ

13 アメリカ国内の作家によるセラミック、南米やアフリカのアルティザンが作る商品を中心に、日本のメーカーのものもラインナップ。14 フランクリンストリート沿いにあるセレクトショップ〈ウルブス・ウィズイン〉のポップアップとしてスタートし、今では常設店舗に。15 ポルトガルのアルティザンが作るスプーン（$13.50〜14.50）。16 店内はクリーンだけど温かみのある雰囲気。

146 Franklin St., Brooklyn ☎347-384-2776 12:00〜20:00（日〜19:00）無休　オープンして1年強。

6 Greenpoint

ovenly オーブンリー

21 甘じょっぱい大人向けスイーツブームの草分けになった店。この味を求めてマンハッタンからも人がわんさかやって来る。22 れんが造りのウエアハウス。23 オーナーのエリンとアガサ。ペストリー好きが高じて起業した。24 塩味の効いたピーナッツバター・クッキー$2.75と、ピスタチオ・アガヴェ・クッキー$2.25。

31 Greenpoint Ave., Brooklyn ☎888-899-2213 7:30〜19:00(土日8:00〜) 無休

22

14

23

16

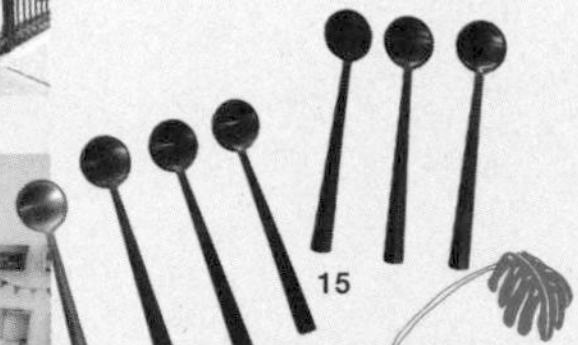

15

BELLOCQ Tea Atelier 5

ベロック ティー・アトリエ

17 エリアの西端にある倉庫で週に5日だけ営業。18 併設のサロンでお茶を試飲するのが至福の喜び。音楽やアートのイベントが開催されることも。19 世界中から集められたお茶は、オーナーたちによってブレンドされ、それぞれ詩的な名前がつけられる。20 多数のブレンドの香りを試せるディスプレイ。欲しい量を缶に詰めてくれる。

104 West St., Brooklyn ☎347-463-9231 12:00〜18:00（金土〜19:00 日〜17:00）月火休

24

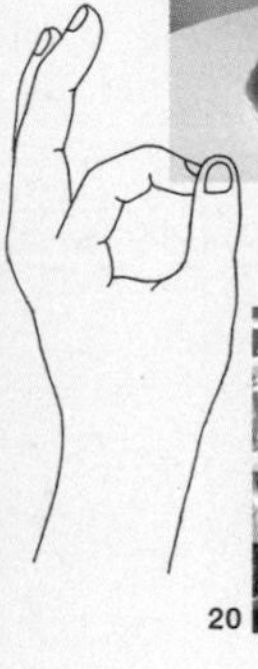

20

18

17

19

ターロウが〈アキレス・ヒール〉をオープンしたのも、最近の大きな変化の一つだ。かつて波止場として栄えた時代にオープンし、閉店したまま放置されていたというバーは、ほとんど手を加えられないまま営業していて、何もないエリアにあるにもかかわらず、夜になると気の利いたカクテルを求めてやって来るヒップスターたちで賑わう店になった。

地元アーティストがつくるブルックリン文化が広がる。

〈ウルブス・ウィズイン〉は、アーティストのカップルが経営するブティックで、地元のデザイナーを中心に着心地の良さそうなウエアのアイテムと、ハンドメイドのジュエリーを取り扱う。店を出て、数ブロック南へ歩を進めると、彼らが2015年オープンした家庭用品専門店〈ホーム・オブ・ザ・ブレイブ〉がある。国内で生産されるハンドメイドの商品だけでなく、途上国でフェアトレードのルールにのっとって生産されるテキスタイルやバスケットも気になるところ。〈アダプテーションズ〉は、オーナー、カイルのセンスが光るヴィンテージの家具とハウスウエアの店。ミッドセンチュリーとインダストリアルとファームハウス（農家風）という、まったく異質なエレメントが、不思議なことに違和感なく一つのムードをつくる。

グリーンポイント・アベニューはいつも変わり続けている気がする。最近は倉庫が並ぶ西端の一角のレス

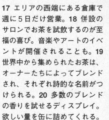

7

Homecoming ホームカミング

25 この店ができるまで、花や草木は商店街で買っていた。自分で好きなものをバラ買いしてもいいし、ブーケを作ってもらうこともできる。26〈ブルー・ボトル・コーヒー〉のコーヒーと〈ベロック〉のお茶を飲めるカフェ。27 店先の黒板に気の利いたひと言を書くのが最近の流行。

107 Franklin St., Brooklyn ☎347-457-5385 8:00〜20:00(土9:00〜) 日9:00〜19:00 無休

26

27

25

NEIGHBORHOOD

31

30

32

9

Adaptations

アダプテーションズ

30 店の表にも、いつも数点の家具が並べられている。31 レンガむきだしの壁に店のサインが。時代的にはミッドセンチュリーだが、温かみのある商品が多い。32 キッチン用品のセレクションのセンスがたまらない。33 誰かの家のようなセッティング。玄関まわりはリビングルームのように、奥は寝室のように設定されている。34 ラグやブランケット類のセレクションはクオリティが高いものを丁寧に。価格設定も良心的。

109 Franklin St., Brooklyn ☎347-529-5889 12:00〜19:00 月休

33

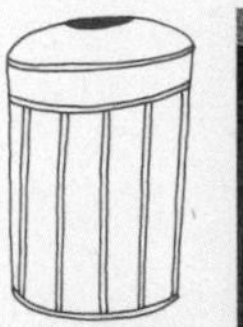

28

29

34

8

BKLYN CURATED

ブルックリン・キュレイテッド

28 ウィリアムズバーグ方向に南下する途中にある。29 サウスウェストの空気を感じさせるウィメンズやインテリアのヴィンテージが充実。何に使うのだろう？と思ってしまう道具なんかもある。

88 Franklin St., Brooklyn ☎718-389-2682 12:00〜19:00 月休　独特の世界観に時間を忘れる。

トランバー〈リバー・スティックス〉を訪ねることも増えたけれど、昼間のお目当ては、〈ベロック〉のお茶と、**〈オーブンリー〉**の甘じょっぱいペストリーだ。コーヒーを飲むには、家の近所の〈トゥルースト〉で済ませることもあるけれど、天気が良ければ、フローリストとカフェが一緒になった**〈ホームカミング〉**に寄るときもある。〈ブルー・ボトル・コーヒー〉の豆を置いているし、緑の多い気持ちのいい空間だから。

常に変化し続けるブルックリン・スタイル。

ウィリアムズバーグに南下するとヴィンテージの**〈ブルックリン・キュレイテッド〉**がある。オーナーのケビンは、〈ラルフ・ローレン〉で店舗の内装や小道具の仕事をするうちに、自分のコレクションが大きくなりすぎて、店を開いたというタイプ。今はインテリアデザイナーの仕事もしていて、ショップがオフィスを兼ねている。ニューメキシコやアリゾナといったサウスウェストのヴィンテージや、ネイティブ物が中心。

最近、日本でも「ブルックリン・スタイル」という言葉を見かけることが増えた。けれどひと口にブルックリンといってもウィリアムズバーグとグリーンポイントではずいぶん違うし、さらに南下すると、また違う文化があって、それぞれ刻々と変化している。ついにヒップなエリアに脱皮しつつあるグリーンポイントが今後どう変わるのか楽しみだ。

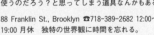

Owner's Favorite

イカした店主のお気に入り　VOL.03

カルロス・クイラーテさん

デニムの〈アーネスト＆ソーン〉の空間デザインを経て、カフェ〈ザ・スマイル〉、クラブ〈ウェストウェイ〉などをオープンしたダウンタウンの有名人。

シグネチャーは「アップステート・バーガー」（$7）だけど、ピーナッツバターとベーコン、ベーコンと卵のバーガーなどバリエーションも豊富。素材を生かしたメニューが人気。右下がオーナーのジェームス。

クオリティの高い肉と野菜で作られた、絶品バーガーの店。

外食に出かけるエリアとして一番好きなのはイースト・ヴィレッジ。特に８丁目、９丁目にある小さな店に行くことが多い。大型店よりも小さいレストランが好きなのと、〈ルークス・ロブスター〉のロブスター・ロールのように、何か一つのメニューを完璧にすることに熱意を燃やしている店が多くて、いろんなもののナンバーワンを食べることができるから。友達のジェームス・クルイックシャンクが友人のグループで開店した〈ホイットマンズ〉はそんな店の一つ。この店のバーガーはとにかく絶品。ニューヨーク州北部の農場からやってくる肉のクオリティは驚くほど高いし、野菜も新鮮で、ファーマーズマーケット（農家が直接売る市場）の良さを凝縮したようなバーガーを食べることができる。日替わりのスペシャルは、市場にどんな旬の食材が入るかで決まる。ちょうど旬だったシャンタレルマッシュルームのバーガーは忘れることのできない味。この店に出合うまでのナンバーワンは〈シェイク・シャック〉だったけど、今ならこの店がダントツだよ。

Whitmans New York

〈ホイットマンズ・ニューヨーク〉406 East 9th St., New York ☎212-228-8011 17:00〜23:00 金土12:00〜24:00（日〜22:00）無休　ソーセージやミルクシェーキなどのメニューも充実。

Munemi's Beauty Pick

Munemiのビューティ ピック　VOL.03

有名からカルトまで揃う、総合ビューティショップ。

ファウンダーのニッキー・キネアードのイニシャルから名付けられた、ロンドン発の総合ビューティショップ。自然光が贅沢に入る空間に、有名ブランドから海外のカルトブランド、ピュアなオーガニック商品、ヘアケア、サプリメント、ツールまで、美容に関するありとあらゆるものが揃う。「ハイテク・スキンケア」と呼ばれる自宅でできる最先端の美容器具も、ここより進んでいるところはないくらい。美容のライフスタイルショップと呼びたいような場所だ。

明るく広々とした店内に、見やすく配置された商品。美容に関する探し物が、きっと見つかるはず。

Space NK

〈スペース NK〉99 Green St., New York ☎212-941-4200 11:00〜19:00（木〜20:00）日12:00〜18:00 無休

文・写真／ムネミ・イマイ

A Bite Of The World

NY味覚旅行　VOL.03

ウクライナの定番家庭料理を盛り合わせたオデッサ・コンビネーション$13。

ビーツがごろごろ入ったボルシチにサワークリームを添えて。カップ$4.50

トンプキンス・スクエアパークの真向かいにある24時間営業のウクライナ食堂。

アルファベットシティのウクライナ食堂。

ロシア、ポーランド、ウクライナ、ルーマニア……。優しい味の煮込み料理がメインの東欧料理が好きだ。かつて、ポーランドとウクライナからの移民がコミュニティを築いていたことでも知られる、イーストヴィレッジとグリーンポイントには、町並みに聳《そそ》り立つ教会と並び両国の食材店やレストランも多く、いまもその名残を色濃く残す。1965年オープンの〈オデッサ〉もその一軒。ウクライナの家庭料理と、アメリカンダイナーの定番メニューを24時間食べさせてくれるお気に入りの食堂。甘酸っぱいボルシチ、歯応えのあるクロバサ、ロールキャベツのトマトソースがけにピエロギを茹でるかフライで。まだ一度も訪れたことのない国を、よく知っているような、そんな気になっている。

Odessa

〈オデッサ〉119 Ave. A, New York ☎212-253-1482 24時間営業 無休　飲んだ後にいただくボルシチは最高！

文・写真／松尾由貴

My New York Moment

NY在住写真家のフォトエッセイ　VOL.03

Isabel Asha Penzlien

イザベル・アーシャ・ペンズリエン／ハンブルク出身。1995年に写真を勉強するためにニューヨークに渡り、大学卒業以来、雑誌を中心に活躍する。『No Things』をはじめ、写真集を8冊出版。

本能に従うことを覚えた、象徴的な一枚。

この写真は、マンハッタンのグランド・ストリートの近くで、窓に飾られていた花。光の反射を受けた花が幻想的で、思わずiPhoneで撮った。父親が写真家で、子供の頃から写真を撮っていたから自然に技術は学んだのだけれど、ニューヨークで仕事で写真を撮るようになるうちに、仕事以外で写真を撮ることが少なくなった。数年ほど前からiPhoneとインスタグラムの登場でより自然に写真を撮るようになった。この写真も、以前の自分なら、カメラを持って撮り直しに行ったかもしれない。でも今は、技術的なルールに縛られないこと、自分の本能やその瞬間の美しさを信じられるようになった。これは新しい自分を象徴している。

&New York

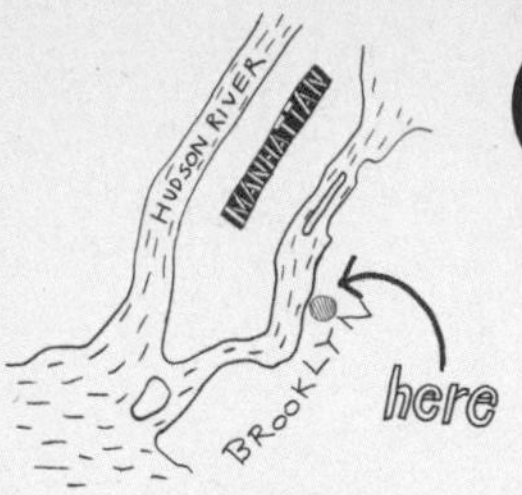

North Williamsburg

ノース・ウィリアムズバーグ

area data

ユニオン・スクエアからＬ線で３駅、ベッドフォード・アベニュー駅を降りたらそこはウィリアムズバーグ。今回は、そのウィリアムズバーグの北側エリアを攻めてみた。目抜き通りはベッドフォードだが、特に近年はイースト・リバー沿いの再開発のおかげか、ケントとワイス・アベニューの一帯が盛り上がっている。

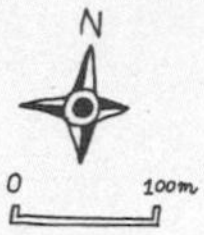

佐久間裕美子の
ウォーキンNY
VOL.04

文・写真／佐久間裕美子

かつての工場や倉庫を、外観はそのままに、内部を改装した建物が中心。

昔からある店が徐々に姿を消しつつある。ちょっと寂しいのもまた味わい。

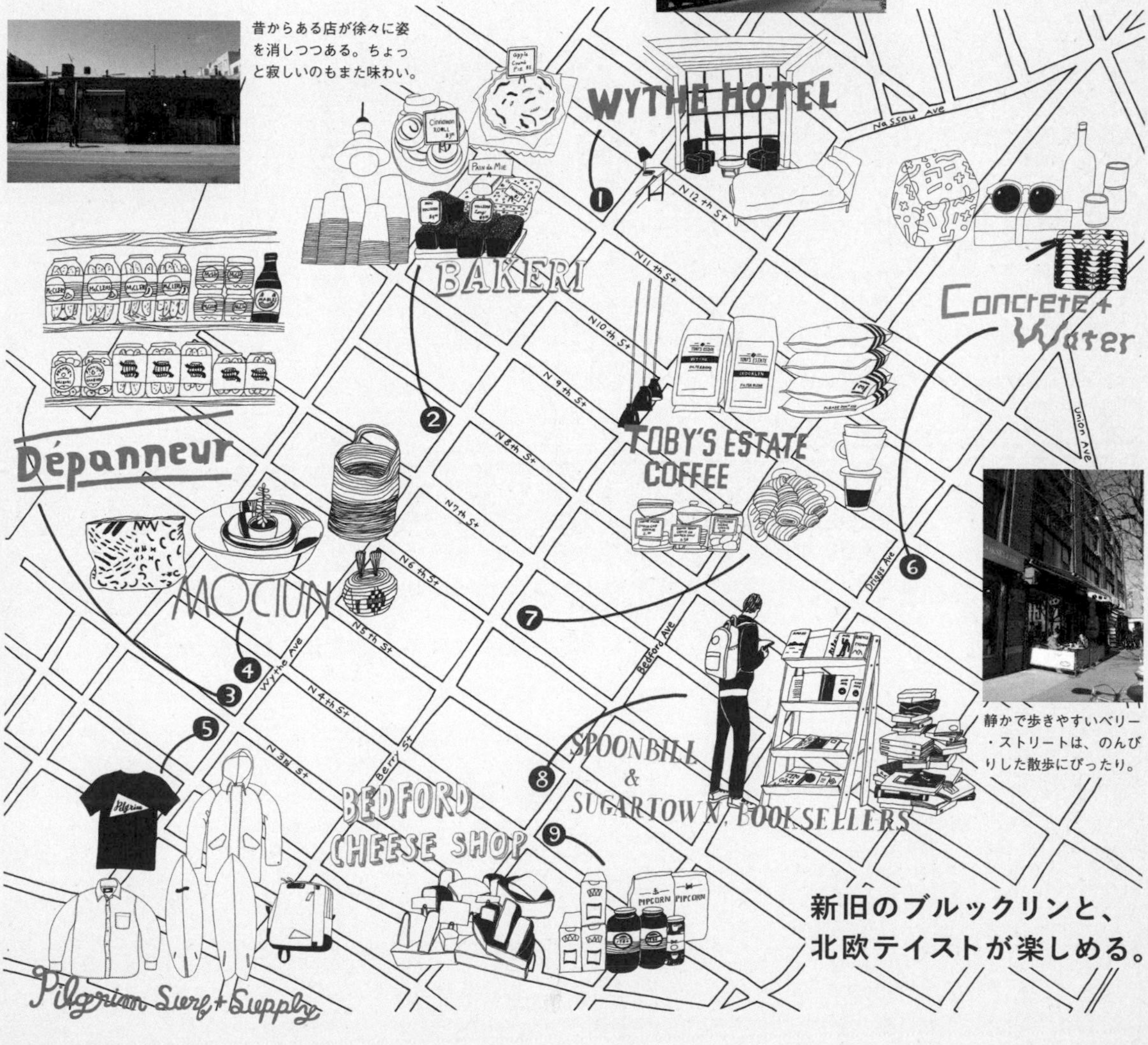

静かで歩きやすいベリー・ストリートは、のんびりした散歩にぴったり。

新旧のブルックリンと、北欧テイストが楽しめる。

2

1

BAKERI
バケリ

5 焼き上がったそばから上がってくるペストリー。北欧テイストの入ったものもあれば、オリジナルのものも。初めてのペストリーを見かけない日はない。6 エリアのベスト・コーヒーと呼ばれることも多い本格派。7 スタッフのツナギのユニフォームがキュート。在庫があれば買えることも。

150 Wythe Ave., Brooklyn ☎718-388-8037 8:00～19:00 無休　ノスタルジックな雰囲気も素敵。

6

5

3

4

WYTHE HOTEL
ワイス・ホテル

1 オリジナルの構造を生かしたれんが造りのゲストルーム。廃材やリサイクルした素材を多用している。2 イースト・リバー沿いの立地だから、屋上のバーからマンハッタンをパノラマに見渡せる。夕暮れ時は壮観。3 ロビー脇のスペースはライブラリーのような趣。ポップアップの店舗になることも。4 天井が高い気持ちのいいスペースは〈レイナード〉。夜は混雑するが、昼間はゆったりとしている。

80 Wythe Ave., Brooklyn ☎718-460-8000 無休　話題のホテル。

7

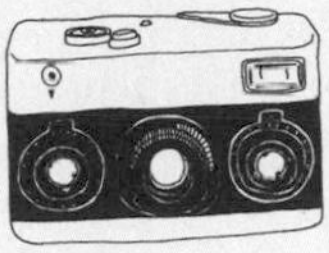

9

Dépanneur
デパヌール

8 座るところは少ないけれど、コーヒーのテイクアウトに重宝。サンドイッチやペストリー類も。またスパイス類、パスタ、スナック系も充実。〈スファリーニ〉のパスタとソースのセレクションには目を見張る。9〈ピルグリム〉や〈J.クルー〉があってショッピングの中心地になりつつある一角。10 料理雑誌やクッキング本も。片手で持てるサイズの「ショート・スタック」は人気。

242 Wythe Ave., Brooklyn ☎347-227-8424 7:30～21:00（土日8:00～）無休　お土産にもピッタリ。

10

8

ブルックリンの北側がニューヨークの文化を牽引するようになって久しいけれど、最初に注目されたのは、ウィリアムズバーグの北側だった。それから多くの人や店が、「ジェントリフィケーション（高級化）」と同時に、はじき出されてしまったけれど、今もところどころに、ルーツを思い出させる場所がある。

ウィリアムズバーグの刻々と変わる街並み。

ニューヨークではエリアが栄えると、地価の高騰とともに雰囲気が変わることがよくあって、ウィリアムズバーグの北側も、ここ数年の間にずいぶん変化した。それでも肩に力の入らないいい店が、新旧ない交ぜに存在していて、混雑する目抜き通りを避けながら楽しむことができる。

2012年にオープンした**〈ワイス・ホテル〉**は、ウィリアムズバーグ初めてのブティックホテルで、サウスサイドで〈マーロウ&サンズ〉や〈ダイナー〉を経営するアンドリュー・ターロウが運営している。可能な限り廃材を使ったインテリアが、今のブルックリンらしいけれど、マンハッタンの夜景がパノラマに見えるルーフのバーは人気が出すぎて、最近は列ができることも。お茶にもお酒にも対応できる、比較的メローなレストラン〈レイナード〉を使うことのほうが増えた。

〈ワイス・ホテル〉周りを中心に、ウィリアムズバーグの北側は、北欧

NORTH WILLIAMSBURG

20

19

21

12

11

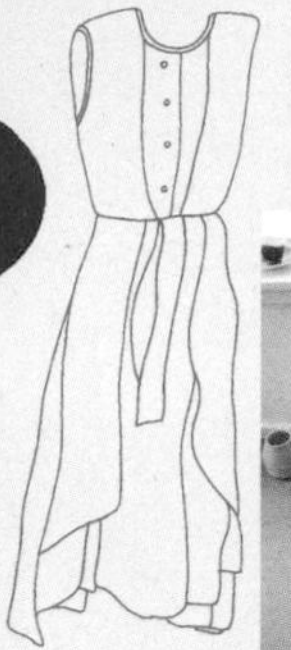

6

Concrete + Water

コンクリート・アンド・ウォーター

19 若手、メジャー織り交ぜつつ、カジュアルでちょっぴりガーリーなセレクション。**20** 白壁にこのロゴが目印。オープンは2014年。**21** ライフスタイル雑貨も充実。ハンドメイド感溢れるカードは〈アシュカーン〉や〈ワースワイル・ペーパー〉のもの（各$6）。「イッツ・オーケー」の壁掛けは〈シークレット・ホリデー&カンパニー〉（$90）。**22** 奥に庭あり。

485 Driggs Ave., Brooklyn ☎917-909-1828 12:00〜20:00 土日11:00〜19:00 無休

4

MOCIUN

モーシャン

11 オンラインストアでは扱いのないラグの品揃えは壮観。**12** ジュエリー、テキスタイル、アート、陶器をミックスした商品展開。北欧、日本のアーティストのものも。**13** 店舗の片隅が小さなギャラリーになっている。**14** 近隣に店舗のあるバッグのブランド〈BAGGU〉とのコラボレーション商品。床まで使ったディスプレイもユニーク。

224 Wythe Ave., Brooklyn ☎718-387-3731 12:00〜20:00（日〜19:00）無休　ギフト探しにも。

14

13

22

5

Pilgrim Surf + Supply

ピルグリム・サーフ・アンド・サプライ

15「サーフショップ」ではあるけれど、写真集やアクセサリーなど、波に乗らない人間でも楽しめる商品展開が好き。**16** 側面のミューラル（壁画）は、サンフランシスコのアーティスト、ジオ・ジーグラーの作品。**17, 18** もちろん、本気のサーファーが納得するサーフボードやサーフグッズ、アパレルなどもラインナップ。エッジーな展開だ。

68 North 3rd St., Brooklyn ☎718-218-7456 12:00〜20:00 無休　ウィメンズの商品も充実。

15

17

18

16

のテイストがうまい具合に混じっている。写真家のトッド・セルビーが教えてくれた**〈バケリ〉**もその一つだ。ノルウェー系アメリカ人のニーナ以下、ツナギ姿の女子たちが地下で焼くペストリーを食べられるのだが、定番メニュー以外にも従業員が好きなものを焼いていいそうで、いつ訪れても新しいものと出合える。

北欧テイストといえば、陶器をメインにしたクラフトとインテリア雑貨の**〈モーシャン〉**も、地元の作家6割、北欧のブランド4割だという。シンプルだけど有機的な北欧のデザインが、今のブルックリンのムードと合っているのかもしれない。

メンズショップのトム・ボーイスタイル。

もう一つ、この辺りのエリアの最近のテーマは、「トム・ボーイ」的要素なのかなと思う。中性的なスタイルが好きで、これまでメンズを着てきたという女性は自分を含めて多いと思うけれど、そういうタイプをターゲットに含めるメンズの店が増えている。たとえば今、この辺りでは一番元気がある**〈コンクリート・アンド・ウォーター〉**は、ガーリー系ブランドも押さえつつ、ユニセックスなテイストが好きな女子にもツボの多いセレクション。かつて〈モレスク〉というサーフショップのオーナーの一人だったクリス・ジェンティルが率いる**〈ピルグリム・サーフ・アンド・サプライ〉**も、写真集や雑貨のセレクションが良かったけ

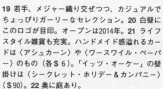

BEDFORD CHEESE SHOP
ベッドフォード・チーズ・ショップ

9

32 チーズやハム・サラミ類がメインだけれど、ソーダからパスタソースまで、多種多様の品揃え。33 スタッフのチーズ知識の深さにはいつも驚く。34 店頭のスペースには地元で少量生産されるスイーツ類が。ブルックリンの食のルネサンスはまだまだ盛り上がりを見せている。

229 Bedford Ave., Brooklyn ☎718-599-7588 9:00～21:00(土8:00～) 日8:00～20:00 無休

32

TOBY'S ESTATE COFFEE
トビーズ・エステート・コーヒー

7

23

23 朝一番に訪れても、新聞を読んだり、パソコンで作業をしながらコーヒーを飲む地元民で溢れている。24 お揃いのエプロンでにこやかに迎えてくれるスタッフ。25 ニューヨークの地名やストリート名のついたブレンドが人気商品。26 広い店舗の奥には豆がどっさり入った麻袋が積み重なっている。もちろん焙煎も店内で。27 おいしいコーヒーの激戦地区で今選ぶならここ。

125 North 6th St., Brooklyn ☎347-457-6160 7:00～19:00(金～20:00) 土日8:00～20:00 無休

24

33

25

27

26

28

34

SPOONBILL& SUGARTOWN, BOOKSELLERS
スプーンビル・アンド・シュガータウン・ブックセラーズ

8

28 老舗の店がどんどん消える中、昔からがんばっている店の一つ。モールの中にある。29 店舗の奥にチベットの旗が飾ってあるのが、ウィリアムズバーグらしい。30 ごちゃっとした中にも秩序があるようなディスプレイに和む。31 アーティスト物の本や絵本を目当てに立ち寄ることが多いけれど、お土産にぴったりのしおりも発見。

218 Bedford Ave., Brooklyn ☎718-387-7322 10:00～22:00 無休　ランダムなセレクションも秀逸。

29

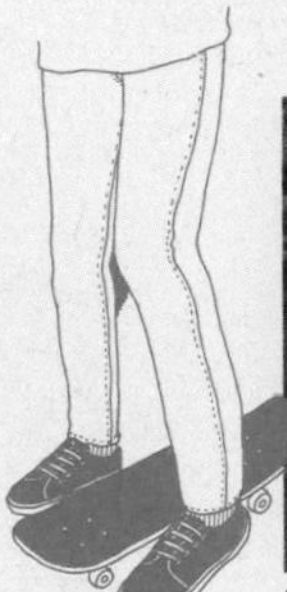

31

30

れど、最近はアクティブなウィメンズのセレクションを加えている。こういったショップのウィメンズは、フェミニン度抑えめながら、メンズのラインとは一線を画していて、さじ加減がちょうどいい。

　そして忘れてはならないのは、地元住民にとってのロングセラー的存在。サードウェーブ系コーヒーの激戦区であり、いまだに大手チェーンのないウィリアムズバーグで、今一番混んでいるのは〈トビーズ〉だ。パソコンを広げる客にフレンドリーなこともあるし、NYの地名をブレンドの名前にしていたり、地元貢献型なのも人気の理由か。朝の遅いウィリアムズバーグで、朝から混んでいるのはこの店くらいだ。本屋の〈スプーンビル〉は、アート系や写真集に強いと思いきや、マニアックなフィクションが交じっていたり、哲学本があったり、雑多な感じがいい。目的なくふらっと入っても、必ず一冊は欲しい本が見つかる店だ。〈ベッドフォード・チーズ・ショップ〉は、パーティの手土産を買う店として重宝してきたが、最近はブルックリン土産の買える店として、お薦めすることも多い。〈デパヌール〉は、テイクアウトのカフェとして利用することもあるし、グルメ系の食品やスパイス類も充実している。

　地元住民が最近のウィリアムズバーグの喧噪ぶりに不満を言うのを聞くことがある。それでもチーズショップや本屋が存続する限り、まだまだエリアの魂は生きている気がする。

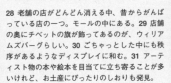

Owner's Favorite

イカした店主のお気に入り VOL.04

ジェームス・
クルイックシャンクさん

ブランド〈LOLA New York〉やイベント企画に携わる傍ら、ブログやラジオ番組を通じて食を取り上げ、ついに自分の店〈ホイットマンズ〉をオープン。

小さめな店内。料理写真の上はハマグリ、ムール貝などの「ブラック＆ホワイト・タリアテッレ」。下はチェリートマトとオニオンの「アルグラ・ピザ」。右がオーナーのAJパッパラルド。

本当においしい、アメリカのイタリア料理を食べられる店。

僕はイタリア系ではないけれど、イタリア系移民の多いロング・アイランドで育ったからか、いつもイタリア系アメリカ人が作る家庭料理が好きだった。食いしん坊が高じて、食をテーマにしたブログやラジオショーを始めるようになったんだけど、どういうわけか、リトル・イタリーと呼ばれるエリアのイタリア料理がとにかくまずいことを、長い間悲しく思っていた。だから、従兄弟のアンジェロの紹介で、AJがオープンした〈ルビローザ〉を初めて訪れたときには、心から嬉しかった。オーセンティックなイタリアン・アメリカン料理にこだわり、家族で経営しているのもいい。そして、バーテンダーのマットが作ってくれるカクテルの「マンハッタン」は、文句無しにニューヨークで一番だと思う。料理もパスタ類も、グルテンフリーの生地で作られるピザも、すべておいしいけれど、メニューに載っていない「ベリー・スペシャル・ピザ」はぜひとも試してほしい。どんなピザかは、残念ながらここでは教えられないけれど、感動すること請け合いだ。

Rubirosa

〈ルビローザ〉235 Mulberry St., New York ☎212-965-0500 11:30〜16:00 17:00〜23:00（木金土〜24:00）無休　パッパラルド家が家族で経営する、本格的なイタリアンレストラン。

Munemi's Beauty Pick

Munemiのビューティ ピック VOL.04

ちょっと珍しいビーガンジュース店。

最近すっかりヘルシー志向のモデルたちに、お気に入りの店はどこ？と聞くと、この店の名前が返ってくることが多い〈ワン・ラッキー・ダック〉。ジュースの店は多いけれど、オーナーのサルマの、オーガニック食品へのこだわりや環境志向がふんだんに表れる、ビーガンのジュースや軽食は、肌への効果抜群。オンラインショップでは彼女が厳選したグリーン系ブランドのスキンケアやコスメが買える。スキンケアは内側からもするべき、とあらためて実感。

素材と体への効果を考え抜いて考案されたメニュー。ジュースのメニューに定評がある。

One Lucky Duck

〈ワン・ラッキー・ダック〉75 9th Ave., New York ☎212-255-4300 8:30〜21:00（日〜20:00）無休　チェルシー・マーケットの中にある。

文・写真／ムネミ・イマイ

A Bite Of The World

NY味覚旅行 VOL.04

Eヴィレッジで創業45年。ウクライナ＆ポーリッシュ系のブッチャーショップ。

ショーケースに並ぶコールドカットは量り売り。その場でスライスしてくれる。

人気のスモークソーセージはハーフか1本から購入可。ビールのつまみに最高！

ブッチャーショップはアートだ！

ブッチャーショップは独特の空間だと思う。ピンクがかった蛍光灯の妖しげな照明。ガラスケースには、ペールピンクからどす黒い赤茶のグラデーションの様々な円柱が切り口を揃えてずらりと並ぶ。天井からは細長いスモークソーセージや、ぶっといキルバサがミートフックにぶら下がる。統一された色と形が微妙にその姿を変えながら整然と並ぶ様は、まるでアートインスタレーションのようだ。

イーストヴィレッジの〝ミートマーケット〟は、ウクライナ＆ポーリッシュ系の老舗精肉店。その昔、この界隈にウクライナ移民のコミュニティがあった名残を今も伝える場所。この店に通いはじめて10年、やっと臆することなく買い物ができるようになった。

East Village Meat Market

〈イーストヴィレッジ・ミートマーケット〉139 2nd Ave., New York ☎212-228-5590 8:00〜18:00（金〜19:00）日休

文・写真／松尾由貴

My New York Moment

NY在住写真家のフォトエッセイ　VOL.04

Aileen Son

アイリーン・ソン／パーソンズ・ザ・ニュースクール・フォー・デザインで写真を専攻し、現在は写真家ティム・バーバーのスタジオ・マネージャーを務めながら写真家として活動する。

暑さを逃れて見つけた、涼しい瞬間。

ニューヨークの夏は最悪だ。空気は重く、何もかもが体臭や腐った魚の臭いがする。肌はベトベトして衣類が重い。太陽の光を逃れて駅の階段を下り、惨めな気持ちで地下鉄を待ち、やって来た地下鉄の空調はプレゼントのように感じられる。屋上で日没を眺めたり、木の下でだらだらするのもいいけれど、友達と集まってスイカにかぶりつくのは至福。ある夏、そんな感じで撮影会をした。特に深い意味もなく。アリスが衣装を持ってきて、ダンナが空間を提供した。ナオミは長い一日の仕事を終えて、労働の対価に受け取った果物を楽しむガーデナーの役をやった。暑さを逃れて見つけた涼しい瞬間、この写真はそれを表現している。

& New York

Walk In NYC

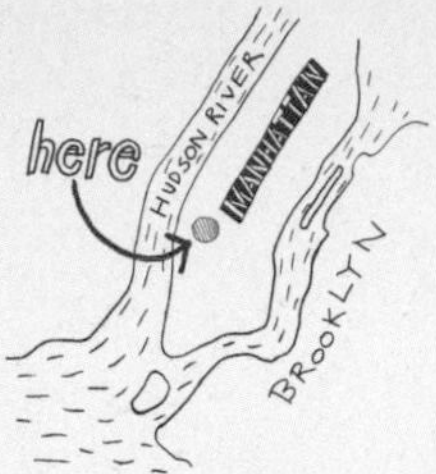

NoMad

ノマド

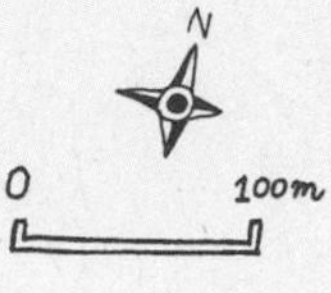

佐久間裕美子の
ウォーキン NY
VOL.05

文・写真／佐久間裕美子

area data

アベニュー・オブ・ザ・アメリカズ（6番街）とレキシントン、30丁目と25丁目の間を中心にした、マディソン・スクエア・パークに隣接するエリア。一時は商業的に栄えながら、20世紀に入って廃れていたエリアに、〈エース・ホテル〉がオープンして再び文化の中心になった。今一番動きの多い、注目のエリア。

マディソン・パークの北西からフラットアイアン・ビル方面の眺め。

ホテルを中心に、ショッピングのハブとしても発展が期待できそう。

自転車専用レーンができて渋滞が解消された観のあるブロードウェイ。

暗くて不毛なエリアが、
一軒のホテルで再び脚光を。

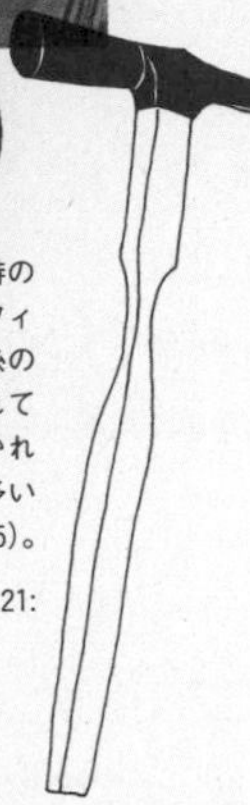

3

4

11

12

5

8

7

6

「マディソン・スクエア・パークの北」という言葉を略した「ノマド」という名前は'90年代後半に登場したものらしいが、実際に定着したのは最近のこと。公園の北側に延びるブロードウェイ沿いのエリアは、20世紀初頭には繁華街として栄えたけれど、シアター業界が北上してタイムズ・スクエアが劇場街になってからは、その便利な立地にもかかわらず、ほとんど訪れる理由のない不毛で暗いエリアだった。〈エース・ホテル〉が2009年にできてからすっかり生まれ変わった観すらあるこのエリアをあらためて歩いてみた。

〈エース・ホテル〉がつくったカルチャーのハブ。

アメリカどころか世界中でちょっとしたブームになっているポートランド文化が、ニューヨークにやって来るきっかけになったのが、**〈エース・ホテル〉**のオープンだった。数年前に亡くなってしまったオーナー、アレックス・カルダーウッドは、〈エース〉をオープンするに当たり、自分の仲間たちに出店を促して、文化のハブをつくった。それが今、このエリアの中心になっている。ホテル内には、ロウアー・イースト・サイドに本店を持つアーティストによる雑貨ショップ**〈プロジェクト・ナンバー8〉**や、ポートランド生まれのロースター**〈スタンプタウン〉**があるし、角を曲がったところにある**〈ルーディーズ・バーバーショップ〉**

1

PROJECT No.8

プロジェクト・ナンバー8

1 アーティスト物の雑貨や文房具が中心の独特のセレクションに定評がある。**2** スケーターのフィギュア（各＄1）、〈VARIOUS PROJECT〉の毛糸の鳥（各＄48）。**3** ロング・アイランドで作られている果物ジャム（各＄12）。**4** カラーや、描かれているフレーズのバリエーションがとにかく多い〈VARIOUS PROJECT〉のキーホルダー（各＄15）。

22 W 29th St., New York ☎212-725-0008 9:00〜21:00 土日10:00〜20:00 無休

2

ACE HOTEL エース・ホテル

5 アメリカンヴィンテージをふんだんに使った客室。多数のアーティストたちの作品が様々な場所に飾られている。**6**「ローマン＆ウィリアムズ」がアレックス・カルダーウッドとともにデザインしたロビー。巨大なアメリカ国旗が目印。**7** カジュアルでフレンドリーなサービスに定評がある。**8** これがボザール様式といわれる建築様式。

20 W 29th St., New York ☎212-679-2222 無休　せめてお茶するだけでも立ち寄りたい。

3

STUMPTOWN COFFEE ROASTERS

スタンプタウン・コーヒー・ロースターズ

9 ポートランドで起きたコーヒー革命の発信地の一つとなったロースター。レトロなロゴに特徴が。ホテルとともにNY進出を果たした。**10** この辺りではピカイチの味に、常に客足が途絶えない。**11** オリジナルブレンドを含め、約15種類を販売。**12** バリスタの腕の見せどころ。

18 W 29th St., New York ☎855-711-3385 6:00〜20:00（土日7:00〜）無休　豆は人気のお土産。

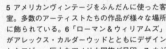

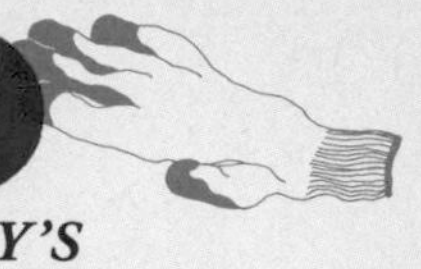

4

RUDY'S BARBERSHOP

ルーディーズ・バーバーショップ

13

14

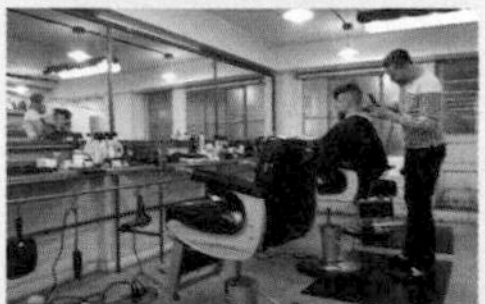
15

13 パッケージの可愛い〈デヴァインズ〉のワックスはお土産にしたい。**14** 理髪店というとメンズのイメージが強いけれど、女性客も少なくないという。**15**〈エース・ホテル〉のアレックス・カルダーウッドがオーナーを務めた理髪店。**16** 2階のショップは現在は〈ルラボ〉。オリジナルの香水やヘアケア製品などが充実。**17** ファブリックケアの〈ザ・ローンドレス〉とのコラボ洗剤（各＄45）。

14 W 29th St., New York ☎212-532-7200 9:00～21:00 土日11:00～19:00 無休

19

20

18

MAISON KITSUNÉ

5

メゾン キツネ

18 服はもちろん、音楽からスキンケアまで、ライフスタイルブランドらしい品揃え。**19** フレンチブランド〈Kitsuné〉のアメリカデビューになった。**20**〈モノクル〉、オーストラリアの〈イソップ〉、カナダ生まれのレザーブランド〈ウォント〉まで、コスモポリタンな品揃えに定評がある。

1170 Broadway, New York ☎212-481-6010 11:00～21:00 無休　パリのエスプリとNYが融合する店。

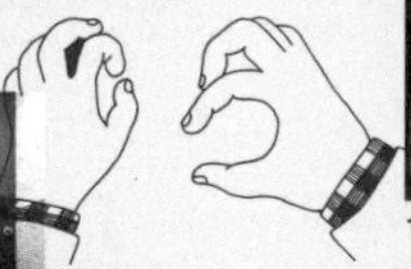

17

16

24

6

sweetgreen スイートグリーン

23

21 近隣の農家から直送される野菜たち。**22** メインになるケールやベビーリーフに、アボカド、キュウリ、ビーツ、ヒヨコ豆、ナッツやチップ類を加え、最後はオイルで仕上げる。**23**「ワカモレ・グリーンズ」（＄9.65）。**24** 店奥の黒板には、その時々の収穫物や農家の紹介とともに「日々の格言」が。この日は科学者による名言でした。

1164 Broadway, New York ☎646-449-8884 10:30～22:00 無休　自分だけのサラダをカスタマイズ。

22

21

も、アレックスの人間関係でここに集まったわけで、商業性が高くてコミュニティ性が低くなりがちなマンハッタンにおいて、珍しいムードが漂っているような気がする。〈エース〉は音楽やパフォーマンスのイベントも多いし、ミッドタウンとダウンタウンの間という地の利もあって、いまだに利用することが多い。

フレンチスタイルとポートランド流が並ぶ。

このエリアは特徴的なボザール様式の建物が多いけれど、今のニューヨークを代表する建築事務所ローマン＆ウィリアムズがデザインした〈エース〉のオールドアメリカン調と、フランス人のジャック・ガルシアがデザインした**〈ノマド・ホテル〉**では、衝撃的に雰囲気が違う。実際に顧客も、文化のハブでイベントを楽しむために〈エース〉に泊まりたいというタイプと、ホテルなら静かなほうがいいという隣の〈ノマド〉タイプに、きっぱり二分される。ラグジュアリー度の高い〈ノマド〉の良さは、予約がとにかく取りづらいレストランで舌鼓を打ったり、マンハッタンにしてはゆったりした客室で時間を過ごしたりしてみるとよくわかる。長らく新しいラグジュアリーホテルが登場しなかったニューヨークで、泊まりたいラグジュアリーホテルとして定着しつつあるのももっとも。ボザール様式の建築物が立ち並ぶマンハッタンの一角が、ホテルのインテリアや**〈メゾン キツネ〉**

NoMad

The NoMad Hotel 8

ノマド・ホテル

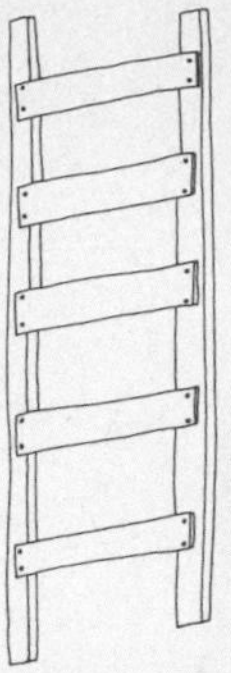

29 デザイナーのジャック・ガルシアが、自分の若かりし頃に見たパリのロフトをイメージしてデザインした。ボザール様式の建物としっくりくるインテリア。30 宿泊客優先というレストランは、いつも予約を取るのが大変。31 落ち着きのある重厚なレセプション。32 南仏からわざわざ運んできたという階段を使った本格的なライブラリー。

1170 Broadway, New York ☎212-796-1500 無休
大人のラグジュアリーを楽しみたい人はこちら。

31

29

30

32

7 EATALY イータリー

26

25

25 夏には長い列ができることもある屋上の〈ビレリア〉はオリジナルのビールが自慢。26 試食などしながらチーズやハム類を購入。パスタやオリーブオイルなどの種類の豊富さには目を見張るものが。27 イタリアの食のパビリオン。広大な敷地に7軒のレストランと無数のショップが入っている。28 厳密にいうとノマド・エリアの南側か。

200 5th Ave., New York ☎212-229-2560 10:00～23:00 無休　フーディ御用達の食のパビリオン。

27

28

SHAKE SHACK 9

シェイク・シャック

33

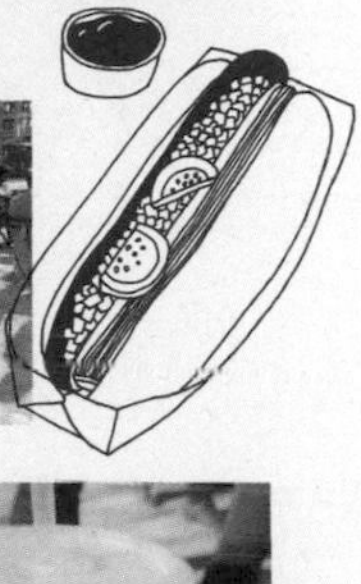

33 春らしい陽気に賑わうマディソン・スクエア・パーク。34 スタンダードなバーガーもいいけれど、アップルウッドスモークドベーコンとチェリーペッパーをのせた「スモーク・シャック」（＄6.25）がお薦め。35 天気のいい日の午後はとにかく並ぶ。けれど並ぶだけの価値ある味。

Southeast corner of Madison Square Park, New York ☎212-889-6600 11:00～23:00 無休

35

34

のフレンチスタイルと融合して、まったく違う独特の空気感を出しているところに、今のニューヨークを象徴するごちゃ混ぜ感が出ている気がする。

何を食べるか悩む、食の激戦区。

ノマド・エリアを訪れるたびに何を食べるべきか真剣に悩むというくらい、この辺りの食のバリエーションは豊か。北東側には、インド人やパキスタン人たちが訪れるカレーショップがあるし、**〈エース・ホテル〉**には、サンドイッチショップ〈ナンバー・セブン・サブ〉や、シーフードの〈ザ・ジョン・ドーリー・オイスター・バー〉もある。そこに最近、ローカルでオーガニックな野菜にこだわった、サラダの**〈スイートグリーン〉**が加わった一方で、南下すればマディソン・パークには、バーガーではニューヨーク・ナンバーワンの呼び声が高い**〈シェイク・シャック〉**の誘惑がある。

そして私のノマド歩きの終点は、いつもイタリアの食のパビリオン**〈イータリー〉**。ソーセージやチーズ類から、その場で作る自家製パスタまでがぎっしり並ぶ、フーディ（食いしん坊）にはたまらないスポット。敷地内には、素材のジャンルに特化したレストランが7軒あって、それぞれ、隣のコーナーで売られる食材を使ったメニューを組んでいる。食べたいものがこれだけあるから、ノマド歩きは飽きがこない。

Owner's Favorite

イカした店主のお気に入り VOL.05

AJパッパラルドさん

ピザ店の息子として育ち、ザ・カリナリー・インスティテュート・オブ・アメリカで料理を学ぶ。2011年に〈ルビローザ〉をオープン。

左／タコ、エビ、フグの尾からなる魚介類のプレート「ジャアン・バングサエン」（$28）。中／タイ北部スタイルのチキンカレー「カオ・ソイ・カア・カイ」（$20）。右／味も内装も温かい。オーナーのアンとマット。

ヘルシーなスタイルの、ほっとさせてくれるタイ料理。

〈アンクル・ブーンズ〉のオーナーでシェフのマット・デンザーとは料理学校の同級生で、一度、マットがニューヨークを離れて連絡が途切れたけど、また連絡をするようになった。料理学校というものは、基本を学ぶ場所だけれど、実際に自分のスタイルや技術を学ぶのは、現場に出てから。だから学校にいるときには、それぞれの才能がどれくらいかはまったくわからない。マットが妻のアンと出会って二人で開いた〈アンクル・ブーンズ〉を訪れたとき、その味は嬉しい喜びだった。

僕が好きなのは、家庭料理やコンフォートフード。ヘルシーなスタイルの、ほっとさせてくれる味を求めている。〈アンクル・ブーンズ〉が出すのはタイ料理だけれど、何かほっとさせてくれるものがある。同時に、古典的な手法を使いながら、モダンな表現で自分らしさを出していて、二人の個性がそのフレーバーにしっかりと表れている。自分の店から徒歩で行けることもあって、気が付いたら2週間に一度は必ず訪れるフェイバリットになっていた。

Uncle Boons

〈アンクル・ブーンズ〉7 Spring St., New York ☎646-370-6650 17:30～23:00（日～22:00 金土～24:00）月休　アンとマットの夫婦はトーマス・ケラーの〈パー・セ〉の厨房でともに修業を積んだ。

Munemi's Beauty Pick

Munemiのビューティ ピック VOL.05

オーガニック美容の真のパイオニア。

今となっては当たり前になった感すらあるオーガニックのスキンケア。「合成成分が存在するべき場所は人体じゃない」と語るジョン・マスターは、1970年代にヘアスタイリストとして活躍し、ファッション、美容業界へと活動の幅を広げながら'80年代にオーガニックに目覚めたというパイオニア。スキンケア、ヘアケア商品に含まれる化学物質のリスクに警鐘を鳴らす。ジョンの哲学がふんだんに表れるサリバン・ストリートの旗艦店を、ぜひ訪ねてほしい。

メタルとガラスの玄関が目印。日本でも圧倒的な人気を誇る商品が、すべてここで手に入る。

john masters organics

〈ジョンマスターオーガニック〉77 Sullivan St., New York ☎212-343-9590 11:00～18:00 無休

文・写真／ムネミ・イマイ

A Bite Of The World

NY味覚旅行 VOL.05

ショーケースにずらりと並んだシリアの伝統的な焼き菓子は1ピースから購入可。

パイ菓子バクラヴァ。上／ピスタチオ各$2、下／ウォールナッツ各$1.50。

スパイスが効いたラム挽き肉とトマトのミニピザ$2.50。その場で温めてくれる。

アラブ通りのシリアンベーカリー。

ブルックリンの南を真横に走る大通り、アトランティック・アベニュー。バークレーセンターより西側へ進むと、躍るようなアラビックの文字が目に入る。かつてこの界隈に、アラブ圏の移民がコミュニティを作って暮らしていた名残が今も色濃い。そのアラブ通りに、1930年創業のシリアのベーカリーがある。ショーケースに整然と並ぶ黄金色の焼き菓子、バクラヴァは見とれるほどの美しさ。ピタパンや乾パン、ドライフルーツが所狭しと並ぶ。冷蔵庫にはフムスやババガヌーシュ、フェタチーズなども。小腹がすいてるときには、スピナッチやチーズを織り込んだ三角パイや、ラム挽き肉のピザがお薦め。まだ訪れたことのないアラブの国を、少しだけ身近に感じさせてくれる場所。

Damascus Bread & Pastry Shop

〈ダマスカス ブレッド&ペストリーショップ〉195 Atlantic Ave., Brooklyn ☎718-625-7070 7:00～19:00（日8:00～）無休

文・写真／松尾由貴

My New York Moment

NY在住写真家のフォトエッセイ VOL.05

Mikael Kennedy

ミケル・ケネディ／バーモント州出身のポラロイド写真家。デンバー、シアトル、ボストン、ベオグラードを経てニューヨークに。ブルックリンを拠点に国内外へ旅をして、創作を続ける。

街を徘徊して撮った、ポラロイドの作品。

2005年にベオグラードからニューヨークに引っ越してきた。かばんにポラロイドをたくさん詰めて。機材を撮影現場に配達する仕事を得て、普通だったら入れないようなたくさんのワイルドな場所に行くようになった。ハンプトンの豪邸、マンハッタンのペントハウス、ブロンクスの焼け落ちた廃屋。そうやって街を徘徊し、行く先々でポラロイドを切ることで集まった作品が『パスポート・トゥ・トレスパス』になった。ある日、崩壊した世界貿易センター跡地の近くに撮影の機材を届けた。世界のどこにいても、高い高い所に上ると物事が違って見えてくる。顔をガラスの窓に押し付けて、霧の中に広がるこの街を見つめ続けた。

& New York

Walk In NYC

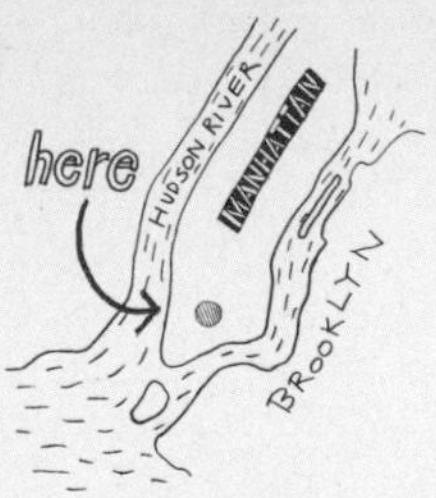

Crosby Street

クロスビー・ストリート

佐久間裕美子の
ウォーキン NY
VOL.06

文・写真／佐久間裕美子

area data

ブロードウェイの1本東側、ハワードとブリーカーの間にあるストリート。ソーホーならではの、インダストリアルなロフト風ビルと、低層の住居ビルが並ぶ静かな通り。10年以上前に〈オープニング・セレモニー〉がオープンして以来、多くのショップが開店したり閉鎖したり。ここ最近、再び活気が出てきたエリア。

アンティークのギャラリー〈デ・ヴェラ〉がある一角にカフェが並ぶ。

地区の草分け的存在のセレクトショップ〈オープニング・セレモニー〉。

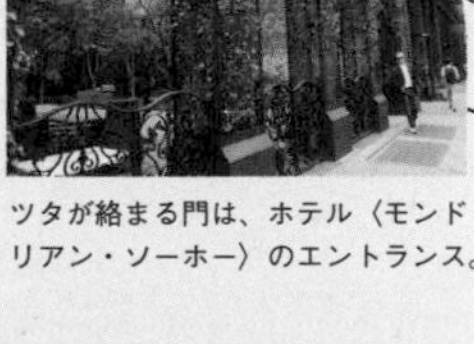

ツタが絡まる門は、ホテル〈モンドリアン・ソーホー〉のエントランス。

栄枯盛衰を繰り返して、今、再び注目のエリア。

7

6

HARNEY & SONS SOHO

ハーネー&サンズ ソーホー

1 壁一面にずらりと並ぶお茶の数々。気になるお茶を試すことができる。2 三十数年前に創業して以来、今もコネチカットのハーネー家が家族で運営している。3「今日のピック」の葉をネズミのオブジェが支えていた。4 ユーモア溢れるマグカップをはじめ、お茶に関係あるものならなんでも。5 お茶にぴったりのスイーツやアクセサリーがキュート。お土産にぴったりの商品がわんさか。

433 Broome St., New York ☎212-933-4853 10:00〜19:00（日11:00〜） 無休 着席のティールームも。

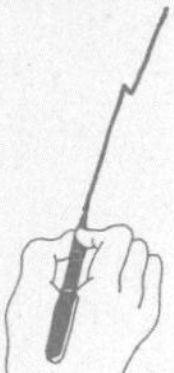

AERO アエロ

6 インテリアデザイナーならではのセンスが生きる空間。7 文字通り、リビングルームのような一角。ヴィンテージとオリジナルの商品がほどよく混じり合う。8 目利きとして知られるトーマス・オブライアン。ヴィンテージの商品は、国内外の旅先のマーケットで見つけてくるのだとか。

419 Broome St., New York ☎212-966-1500 11:00〜18:00 日休 オリジナルの雑貨やアクセサリーも。

4

1

8

5

3

2

11

12

MATTER マター

9 ブルックリンのプロダクトデザイナー、カール・ザーンの作品のテーマは重力による動き。10 置いてあるものによって店の雰囲気ががらりと変わるのが面白い。11 一つ一つの商品に独特の存在感がある。12 ロンドンを拠点に活動するスウェーデン人デザイナー、ヒルダ・ヘルストロムの作品は、自然や宇宙を感じさせる有機的な色み。

405 Broome St., New York ☎212-343-2600 10:00〜18:00 日休 雑貨とオブジェのギャラリーのよう。

10

9

クロスビー・ストリートは、ソーホーの目抜き通りの1本東にあるにもかかわらず、なんとなく裏通りの寂れ感があって、かつては喧噪を避けて歩くだけの道だったのに、最近はすっかり観光地化してしまったソーホーとは一線を画した一つのエリアとして、独特の存在感を出している。特にここ数年でがらりと雰囲気が変わったブルーム・ストリートとハワード・ストリートの間の2ブロックをあらためて歩いてみた。

独特なセンスをもつ家具ショップが並ぶ一角。

いわゆるソーホーの中心地からは足が離れがちだけれど、周辺には、その地の利からすると不思議なくらい静かな一角があって、宝物のような店がいまだに点在している。最近コネチカット州生まれのティーショップ〈**ハーネー&サンズ ソーホー**〉が店舗をオープンしたブルーム・ストリートの一角には、お気に入りのインテリアショップがいくつかあって、もう何年も訪れているのが〈**アエロ**〉だ。インテリアデザイナーのトーマス・オブライアンが運営するショップでは、修復されてよみがえったアンティークの家具やインテリア雑貨、寝具などを扱っているが、センスの良さにちょっとしたユーモアがスパイスのように効いている。家具のギャラリーといってもいい〈**マター**〉は、地元のアーティストを中心に、家具としての機能性をも

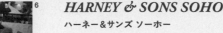

17

14

13

SATURDAYS SURF NYC

5

サタデーズ・サーフ NYC

17 バリスタの腕がいいことからいつでも人が並んでいる店先のカフェ・スタンド。この辺りには、〈サタデーズ〉が登場するまで、おいしいコーヒーがなかなかなかった。**18** 天気のいい日には、人で溢れる裏庭。サーフィンする人も、しない人も。**19** ボーイフレンドへのお土産に喜ばれそう。**20** 海やサーフィンをテーマにした本。

31 Crosby St., New York ☎212-966-7875 8:30〜19:00(土日10:00〜) 無休　ウェスト・ヴィレッジ店も。

18

15

4

Clic Bookstore & Gallery

クリック・ブックストア&ギャラリー

13 オープン当初は写真専門のギャラリー兼書店だった。今も壁には写真の作品が。**14** ファッション系を中心に写真集がずらりと並ぶ。古書もあって意外な掘り出し物に出合えることも。**15** ソーホー、ノリータ、リトル・イタリーがぶつかる一角。**16** 最近はインテリア雑貨に力を入れているが〈カリプソ〉の元オーナーのさすがのセレクト力。

255 Centre St., New York ☎212-966-2766 11:00〜19:00(日12:00〜) 無休　時には写真展も。

20

19

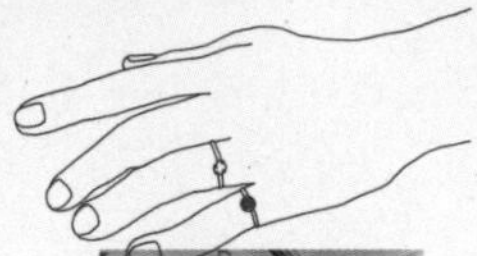

22

16

Café Integral カフェ・インテグラル

6

21 異彩の新興デザイナーを取り扱うショップ〈アメリカン・トゥー・ショット〉の中にある。**22** 知る人ぞ知るコーヒーの名店。ニカラグアやエクアドルの豆は絶品。**23** ブルックリンを拠点に大活躍中のアーティストで友人の、ニキ・ローレケのバッグ発見！　アーティスト物の雑貨が充実。

135 Grand St., New York ☎646-801-5747 8:00〜18:00(土10:00〜) 日12:00〜17:00 無休

23

21

つアートやオブジェを扱っているのだが、存在感のある商品が多いからか、行くたびに違う空間に足を踏み入れたような錯覚を起こす。**〈クリック・ブックストア&ギャラリー〉**は、〈カリプソ〉の元オーナーであるクリスティアンが写真のギャラリーと書店としてオープンした店。デザイナーたちがリファレンスを求めてやって来る店だったけれど、雑貨のほうが彼女のセンスが光る気がする。

〈サタデーズ〉のコーヒーでコミュニティができた。

セレクトショップの〈オープニング・セレモニー〉と、不思議なオブジェが集まるギャラリー〈デ・ヴェラ〉、家具の〈BDDW〉くらいしか店のなかったこのエリアを活性化したのは、**〈サタデーズ・サーフ NYC〉**だった。ニューヨークのサーフショップは長続きしないという定説を覆した、日本でもお馴染みの店だけれど、波に乗らない人間がここを訪れてしまうのは、おいしいコーヒーが飲めること、天気のいい日に裏庭でくつろげることが理由。マンハッタンでは数少ない、昼間のコミュニティのハブになっている。おいしいコーヒーといえば、最近登場した**〈カフェ・インテグラル〉**は、ニューヨークのコーヒーのスタンダードをまた一歩進めたといわれているカフェ。中米の農場と提携し、ブルックリンでローストした豆には定評があって、オーガニック系のカフェやレストランでも目にすることが増えている。

7 MAIYET マイエット

24 ぱっと見ただけではわからないけれど、社会貢献型のラグジュアリーブランド。興味のある人はスタッフに聞いてみて。25 ソーホーならではのロフトビルの構造を生かした風通しの良い空間。26 ウィンドーにはハンモックが飾られていた。ちょっと気になる。27 素材によって、インド、ケニア、ベトナム、コロンビアなどで生産されている。

16 Crosby St., New York ☎212-343-9999 11:00〜18:00（木金土〜19:00 日12:00〜） 無休

24

25

26

27

31

30

8 *Michele Varian* ミシェル・バリアン

28 この日、本気で欲しくなったハンギングチェア。他のどこにもない商品が見つかるのが、この店の最大の特徴だ。29 店内の商品を一つ一つ見ているとあっという間に時間が過ぎる。バラバラなのに統一感がある。30 ソーホーでは典型的なビルの造り。31 誰かの家のダイニングルームのような一角。参考になります。

27 Howard St., New York ☎212-343-0033 11:00〜19:00（土日〜18:00） 無休

28

29

Crosby

34

33

32

9 *Sleepy Jones* スリーピー・ジョーンズ

32 オリジナルのピローは各＄200。33 扉を開けるとパジャマを着たスタッフが迎えてくれる。せっかくならスローに楽しみたい。34 オリジナルのパジャマ（＄150〜300）は刺繍を入れることもできる。ギフトにいいね。35 ラックにはオリジナルの商品の合間にヴィンテージや輸入ものの衣類が掛かる。このほかヴィンテージ雑貨、書籍、〈ジョン・デリアン〉などの商品も。

25 Howard St., New York ☎212-260-3821 11:00〜20:00 日12:00〜19:00 無休

35

カフェが入っているセレクトショップ〈アメリカン・トゥー・ショット〉も、ちょっぴりターゲットが若いけれど、今のダウンタウンを象徴するポップでユニークなテイストに注目している。

今気になるのは、独特の立ち位置を確保する店。

〈マイエット〉は、素材を南米やアジアの途上国から調達しながら、作り手に職業訓練や語学研修を行う社会貢献型ブランド。あくまでデザイン性とラグジュアリー感にこだわっているので、そんな哲学を知らずに商品を見ている人も多いかもしれない。この店を訪れるときはドレスやジャケットがどこで作られているのか、そんなことを考えてほしい。

〈ミシェル・バリアン〉はデトロイト出身のインテリアデザイナーの店。彼女のテイストは、折衷主義という言葉でしか表現できないけれど、アンティークやアーティスト物、世界のクラフトといった、一見するとバラバラなものが、不思議とセンスよくまとめられている。動物をモチーフにしたアイテムにめっぽう弱い自分は、いつも欲しいものだらけでキョロキョロしてしまう。

〈スリーピー・ジョーンズ〉は、アンディ・スペードが手がけるオリジナルのパジャマや部屋着にヴィンテージの雑貨をミックス。パジャマ姿のスタッフとおしゃべりすると、「スローダウンしよう」と言われているような気になるから不思議。

Owner's Favorite

イカした店主のお気に入り VOL.06

アン・レディングさん

タイ人とアメリカ人のハーフで〈バー・セ〉で働いた後、夫のマットとともにモダンなタイ・レストラン〈アンクル・ブーンズ〉をオープンした。

ロウワー・イースト・サイドにあるのに、中2階だからか驚くほど静かな店内。アンが「サンクチュアリだ」と言うだけあります。ケビン（右）がいるときには、ワンコ（中右）もいます。

落ち着いて親密なムードの、ある意味、NYらしくないサロン。

ケビンに初めて会ったのは、自分のレストランをオープンすることになって、建設が始まったとき。忙しい時間の合間に、ヘアカットが必要になって、たまたまスプリング・ストリートの向かい側にサロンがあるのに気が付いた。深く考えないで飛び込んだわりには、それまで自分が体験した中で、ベストのヘアカットだった。

もちろんケビンの腕がいいということもあるけれど、サロンの、禅を思わせる、落ち着いていて親密なムードがとにかく気に入っている。ニューヨークのヘアサロンというと、椅子がたくさんあって、音楽が大音量でかかっているような店が多いから。

自分にとっては、オーナーの顔が見えるスモールビジネスをサポートすることが、とても重要なこと。サービスしてくれる人が、自分に誠実なケアをしてくれると感じられる場所があるということは貴重。最近〈ウーン〉は、ロウワー・イースト・サイドに引っ越しをしたけれど、サロンの雰囲気は、さらに向上した。都会の喧騒から離れられるサンクチュアリなの。

Woon

〈ウーン〉85 Hester St., New York ☎212-608-2270 要アポイントメント。営業時間不定。2004年にオープン。オーナーのケビンに加え、カラーリストと日本人スタイリストの3人で。

Munemi's Beauty Pick

Munemiのビューティ ピック VOL.06

新しいスタイルのビューティショップ。

日常的に使うコスメが定期的に届く「サブスクリプション・サービス」の先駆けが、この〈バーチボックス〉。フラッグシップショップはソーホーにある。2フロアにわたる広々とした店内では、サイトで購入できる250ブランドの、約2000種類の商品を実際に試すことができる。「ビルド・ユア・オウン・ボックス」のコーナーでは、$15で5種類のサンプルを購入できる。「Ingredient conscious（原料を意識）」のタグが入った自然派商品にも注目！

クリーンな内装。地下のフロアでは、ヘア、メイク、ネイルのサービスが$10〜30で受けられる。

BIRCHBOX

〈バーチボックス〉433 West Broadway, New York ☎212-966-5395 10:00〜20:00 日11:00〜18:00 無休

文・写真／ムネミ・イマイ

A Bite Of The World

NY味覚旅行 VOL.06

アルチザン・アイスクリームの、ヴァン・リーヴェンが手がけるバリ料理の店。

ブルックリンのバリで桜丘を思う。

グリーンポイントに住む友人が、NYでも珍しい新しくできたバリ料理の店を教えてくれた。そういえば久しくインドネシア料理を食べていない。インドネシアに行ったことはないけど、東京に住んでいた頃よく通ったインドネシア料理の店が懐かしく思い出されて、翌日その店へと向かっていた。ガドガド、ナシゴレン、サテ、馴染みの料理を見つけると、バリではなく渋谷の桜丘に記憶のチャンネルが合わせられていた。ピーナッツソースの甘さとライムの酸味が、茹でた野菜に絡む。半熟の目玉焼きをサンバルが効いた炒飯に混ぜながら、当時テーブルを囲んだ古い友人たちのことを思った。味の記憶はとても自分勝手。これからも私のバリは桜丘に繋がっていると思う。

ピーナッツソースがアクセントの季節の旬の野菜のサラダ、ガドガド$12.50。

インドネシア料理の定番ナシゴレン$14。海老かテンペのトッピングもあり。

Selamat Pagi

〈スラマッ パギ〉152 Driggs Ave., Brooklyn ☎718-701-4333 17:30〜23:00（土11:00〜）日11:00〜22:00 月休

文・写真／松尾由貴

My New York Moment

NY在住写真家のフォトエッセイ　VOL.06

Geoffrey Knott

ジェフリー・ノット／カナダ、トロント生まれ。オンタリオ・カレッジで写真を学び、その後、ニューヨークに移住。ファッションからポートレートまで幅広く撮る。http://geoffreyknott.com

小さくて美しい瞬間との出合い。

この写真は、数年前にアッパー・イースト・サイドで撮った。光が信じられないほど美しくて、春の風に桜の花びらが散っていた。ニューヨークに来たばかりで、ゴキブリがいるようなアパートに入居し、体を壊して惨めだった。在NY最初の年は辛いというけれど、まさにそれを体験していた。回復後に自転車で走り回っていたら、この風景に出くわした。この街はときどき何もかもうまくいくと思わせてくれる。鍛錬のようなもので、がんばればうまくいく。だからこの写真が好きだ。小さくて美しい瞬間。それほど意味のあるものでもない。けれど、頭に焼き付けられる。角を曲がったところで、次の瞬間に出合えるかもしれないのだ。

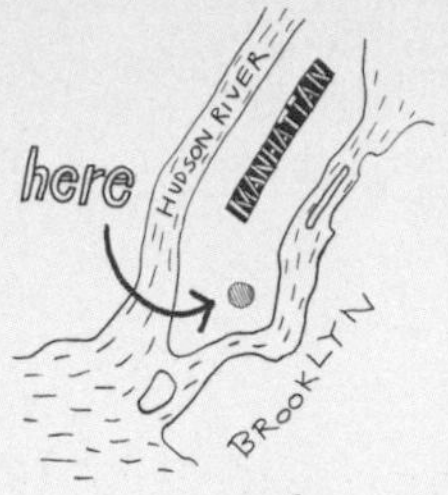

& New York

Walk In NYC

East Village

イースト・ヴィレッジ

佐久間裕美子の
ウォーキン NY
VOL.07

文・写真／佐久間裕美子

area data

ダウンタウンの東側、グラマシーの南、ノーホーの北東側をざっくり指す。ファースト・アベニューの東側「アルファベット・シティ」を含むことも。歴史的にはパンクやアヴァンギャルド系アートの街だったけれど、近年の再開発ですっかりきれいに。小型のヘアサロン、ヴィンテージショップ、レストランが多い。

老舗の商店が並ぶファースト・アベニューとセブンス・ストリートの付近。

懐かしくて新しい、個人経営の多いエリア。

かつてはヒッピーのたまり場だったトンプキンス・スクエア・パーク。

〈ポーチェッタ〉をはじめ小ぶりの店舗が並ぶ。ビルの多くはアパートだ。

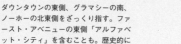

Abraço Espresso 2

アブラソ・エスプレッソ

4 何を食べようといつも悩んでしまうペストリーは、そのときの旬の食材を使う。昼時には、プリフィックスのペストリーのコース（$15）も。5 数あるコーヒーショップの中でも、プロたちからの評価が高い店。有名コーヒーブロガー、エリン・マイスターから教えてもらった。6 小ぶりの豆のパッケージ（各$8.50）はデザインがキュート。店のお薦めはケニア。7 ホットのラテもトールグラスで。8 狭くて、いつも混雑する店内。

86 E 7th St., New York ☎なし 8:00〜18:00（日9:00〜）月休 www.abraconyc.com

4

6

5

7

8

2

1

Van Leeuwen Artisan Ice Cream 1

ヴァン・リーウェン・アルティザン・アイスクリーム

3

1 ベンとピーターの兄弟と、ベンの妻ローラが3人で始めた人気のアイスクリームトラックが成功して、初の店舗を開けたのは2011年。2 シンプルでクリーンなインテリア。アイスクリームのメニューは季節によって替わる。3 アイスと同じ哲学で作られたスイーツ類も充実。

48 E 7th St., New York ☎646-476-3865 8:00〜23:00（金〜24:00）土9:00〜24:00（日〜23:00）無休

9

10

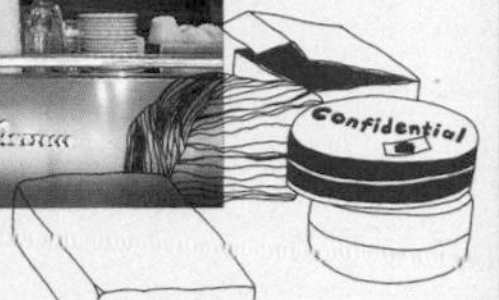

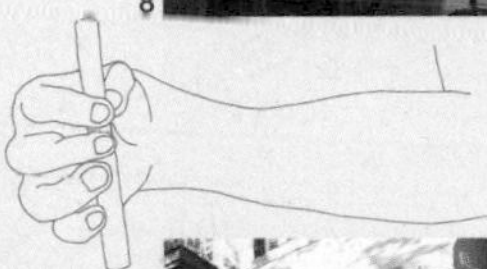

LUKE'S LOBSTER 3

ルークス・ロブスター

9 メイン州のフィッシャーマンをモチーフにしたインテリアが楽しい。10 メイン州のビーチをイメージしたミューラル（壁画）。11 オリジナルのTシャツもなかなかキュート。自分が応援したい店のグッズを買うのもサポートする方法の一つ。12 投資銀行マンだったルークがパートナーのベンと手作りで準備した店内。13 今ではトラックと支店をいくつも持つ企業に成長した。

93 E 7th St., New York ☎212-387-8487 11:00〜22:00（金土〜23:00）無休

13

12

11

移り変わりの激しいニューヨークの街にも、10年前と同じ空気が流れているような場所がいくつかあって、イースト・ヴィレッジはそんなエリアの一つ。実際、なくなった店も、新しくできた店もずいぶんあるのだけれど、個人経営の小さな店が多いのは今も昔も同じで、歩いているとニューヨークに来たばかりの自分を思い出して、昔に戻ったような錯覚を起こすことがある。それでも、一つのことに特化した、スタンドに毛が生えたような小さなレストランと、ヴィンテージショップの多いエリアをあらためて歩いてみたら、新しいイースト・ヴィレッジが見えてきた。

食べたいものばかり。こだわりの店を目指す。

かつてはヴィンテージの衣類を求めてイースト・ヴィレッジに通ったけれど、最近のお目当てはなんといっても食だ。シーフードもいいし、エスニック系も充実している。スイーツだったら、移動式のトラックとして2008年にデビューし、あっという間に店舗を持つに至った〈ヴァン・リーウェン〉がダントツだ。少量生産の農家から仕入れる季節の果物や牛乳。サトウキビを使った、超ピュアなアイスクリームを食べると、天然の素材はこれだけおいしいのか！と感動する。

ニューヨークのコーヒーは、目を見張る速度でおいしくなるけれど、コーヒーブロガーに教えてもらって

Miss Lily's 7A Cafe

6

ミス・リリーズ 7A カフェ

22 ジャマイカのビーチハウスを思わせるブルーとイエローのインテリア。デザインしたのは、数多くのクラブやレストランを手がけてきたセルジュ・ベッカー。**23** 数年前からはランチの営業も始めたが、やっぱり盛り上がるのは、夜になってから。**24** ジャマイカ料理の定番メニュー「ジャークチキン」（$15）。**25** エリアの住民たちが集まる老舗だった〈7A〉の閉店後にオープンした。

109 Ave. A, New York ☎212-812-1482 16:00～24:00（木金～翌2:00）土11:00～翌2:00（日～24:00）無休

15

14

4

Porchetta

ポーチェッタ

16

14 サラとマットの２人組が'08年にオープンした専門店。カウンターの奥にいるのはマット。**15, 17** スツールが数個あるだけの小さな店。これくらいの規模の店が多いのがエリアの特徴。**16**「ポーチェッタ・サンドイッチ」（$12）に、ポーク、ケール、ホワイトビーンズが付いて$15。ポテトと野菜がのったサイドディッシュは＄６。

110 E 7th St., New York ☎212-777-2151 11:30～22:00（金土～23:00）無休　レトロなロゴが目印。

24

22

23

17

25

5

Still House

スティル・ハウス

18 モダンだけれど自然への愛を感じさせる店内。オーナーのウルタ・タイライトはアクセサリーデザイナーでもある。**19, 20, 21** ブルックリンの作家による陶器やハンドメイドの作品、チベットで買い付けたアクセサリー、クリスタル、さんご、ヴィンテージのインテリア雑貨などを絶妙にミックス。陶器や食器の中には日本の作家のものも。

117 E 7th St., New York ☎212-539-0200 12:00～20:00 無休　特にクリスタルの品揃えは圧巻。

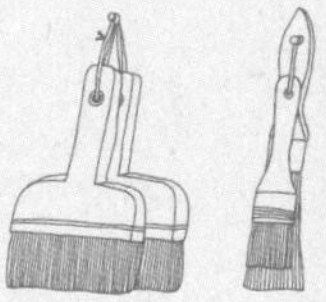

18

19

EAST VILLAGE

21

20

行くようになった**〈アブラソ・エスプレッソ〉**は、コーヒーもさることながら、ファーマーズマーケットで手に入るものでメニューが替わる、ペストリーのセレクションが楽しみだったりする。外のスタンドでコーヒーを飲んでいると、イースト・ヴィレッジならではの強烈なキャラクターが、ふらりと登場して会話が始まったりするのも楽しい場所。

〈ルークス・ロブスター〉は、ニューヨークのロブスターロール（サンドイッチ）ブームの火付け役。メイン州でロブスターを取り扱う商売をしていた家で育ち、ニューヨークに出てきたルークが、パートナーとともに'09年に始めたプチサイズのレストラン。いまだロブスターロールでは右に出るものはない！という味。ルークのおかげで、おいしいロブスターロールが、リーズナブルな価格で楽しめるようになった。

ローストポークサンドの**〈ポーチェッタ〉**も捨て難い。イタリアではお馴染みのストリートフードを、ハーブやニンニクを使って8時間ローストしたというポークでバージョンアップ。ポークの柔らかさには涙が出そうになります。

新顔といえば、ウェスト・ヴィレッジの南端にあるジャマイカンレストラン**〈ミス・リリーズ〉**の新店舗。エリアの顔でありながら、最近クローズしてしまった24時間営業のレストラン〈7A〉の跡地にオープン。ジャマイカといえば、やっぱり名物のジャークチキンでしょうか。

9

Fabulous Fanny's

ファビュラス・ファニーズ

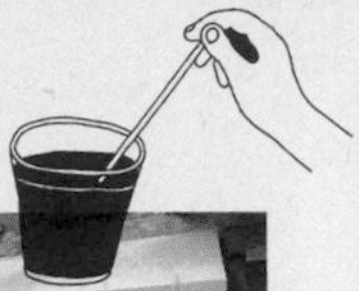

34 なくなってしまった店も多い中で、昔から覗き続けている数少ない店の一つ。フリマのベンダーから店舗になったのは'01年だった。**35** ディスプレイも独特。**36** ヴィンテージの眼鏡フレームは1930年代のものが多いけれど、なかには1700年代のレア物も。**37** 棚や引き出しの中から、自分に合ったものを探すのが楽しい。

335 E 9th St., New York ☎212-533-0637 12:00〜20:00 無休　フレームはとにかく大量にある。

34

7

Amor y Amargo

アモア・イ・アマーゴ

27

26 タイを締めたバーテンダーがいる店内はレトロな雰囲気。**27** テキーラをベースに３種類のリキュールを合わせた定番のカクテル「ディ・ボムペイモ」（$14）。グレープフルーツの香り。**28** 薬草を使ったリキュール「ビター」に力を入れる。**29** 週末の昼間はコーヒー系カクテルも楽しめるし、カクテルを学べるクラスを開催することも。

443 E 6th St., New York ☎212-614-6818 17:00〜翌1:00（土15:00〜翌3:00 日15:00〜翌2:00）金休

28

26

35

29

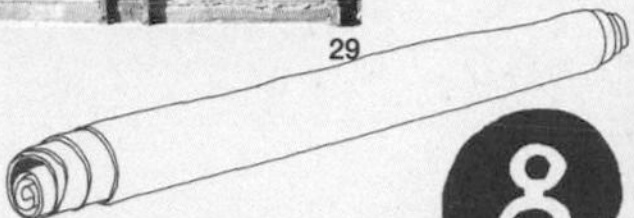

8

30

37

36

31

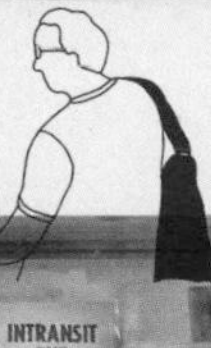

33

32

MAST BOOKS

マスト・ブックス

30 他の古書店で７年間働いたブライアンが、'10年にオープン。アベニューAまで散策するかいがある名店。**31** インテリアは質素だけれど、本のセレクションはたまらない。写真集やアート本に加え、映画や音楽系の古書、ブコウスキーやヘミングウェイの小説、詩集など、幅広く扱っている。**32, 33** 見やすいディスプレイ。

66 Ave. A, New York ☎646-370-1114 12:00〜22:00 無休　古書マニアなら欲しいものが見つかるはず。

一つのことにこだわる専門店が強い！

ショッピングの目的地がすっかり減ってしまったこのエリアの中で、異彩を放っている〈スティル・ハウス〉にはぜひ寄ってほしい。インテリア小物の店なのだけれど、クリスタルのセレクションには目を見張る。これまでニューエイジ的なイメージが強かったクリスタルを、モダンに取り入れることができるのだと開眼。

最近、ビールやウイスキーにばかり夢中になっていたけれど、ニューヨーカーはやっぱりカクテルが好きなのだ。〈アモア・イ・アマーゴ〉はビター（薬草のリカー）を使ったカクテルを得意とする店。週末の昼間はコーヒーを使ったカクテルを出す。昼間からコーヒーとアルコールを一度に、が至福の贅沢。カクテルの作り方を学べるクラスも開催する。〈マスト・ブックス〉は、ヴィンテージの写真集やアート本、レア物の初版を扱う古書店で、'10年にオープン。マンハッタンで古書を扱う老舗の多くは潰れてしまったけれど、〈マスト・ブックス〉みたいな新顔のセレクションが頼もしい。〈ファビュラス・ファニーズ〉は、今回紹介した中で、唯一、昔から覗き続けてきた店で、ヴィンテージの眼鏡フレームのセレクションが圧巻。

こうして歩いてみると、このエリアは何か一つのことを突き詰める店ばかり。オブセッションともいえるほどのこだわりがいいね。

Owner's Favorite

イカした店主のお気に入り VOL.07

ケビン・ウーンさん

有名事務所「ジェッド・ルート」に所属するヘア・アーティスト。17歳でマレーシアからニューヨークに移住した。サロン〈ウーン〉のオーナーでもある。

デトックス効果をはじめ、症状に合わせたお茶をブレンドしてくれる。カフェもあってコーヒー類も用意している。薬局の概念を変える新しい感覚の店。右はオーナーのスタンレー。Photo：Christian Coleman

薬局という概念を広げた、頼りになるウェルネス・サロン。

ロウワー・イースト・サイドにある自分のサロンに向かう途中に、たまたま発見した〈スタンレーズ・ファーマシー〉。いつしか毎日、立ち寄る習慣ができてしまった。薬局という名前がついてはいるけれど、カフェでもあり、ホリスティックな体調管理を助けてくれるウェルネス・バーでもある。スタンレーはニューヨーク出身の薬剤師。ハリウッドでの薬剤師時代にセレブたちに支持されるようになり、その後、ニューヨークに舞い戻ってチャイナタウンでコミュニティ志向の薬局で働いていた。その経験を生かして、スタンレーが自分でオープンしたのが〈スタンレーズ・ファーマシー〉だ。

体調がいいときは、コーヒーやラテをテイクアウトするだけだけれど、この店で特別なのはスタンレーが毎日煎れるコンブチャをベースにしたオリジナルのお茶。たとえば鼻づまりだったら、それを解消するためのお茶を調合してくれる。スタンレーのハーブについての知識にはいつも驚かされる。スタンレーは薬局の概念を拡大して、まったく違う空間を実現した。

Stanley's PHARMACY

〈スタンレーズ・ファーマシー〉31 Ludlow St., New York ☎646-476-9622 9:00〜18:00（土10:00〜）日10:00〜17:00 無休　漢方薬局をモダンに解釈したような、新時代の薬局。

Munemi's Beauty Pick

Munemiのビューティ ピック VOL.07

カスタマイズできる、フェイスマスクバー。

これだけの天然素材が並ぶマスクバー。肌に合わせてカスタムしてくれるマスクは各＄40。

出来たてホヤホヤのフェイスマスクの店。3種類のクレイからベースを選び、さらに16種類の天然100％成分から6種類を選択、最後に1種類の精油を加えてカスタム。オーナーのジュリアンが『&Premium』読者のために、時差ぼけの肌をリカバーするマスクとして提案するのは、グリーンコーヒービーン、緑茶、キュウリ、アロエ、ハニーサックルなどを使ったホワイト・カオリン・クレイのマスク。スパで20分のスリープマシンと合わせると効果抜群だ。

Jillian Wright Clinical Skin Spa

〈ジュリアン・ライト・クリニカル・スキン・スパ〉22 East 66th St., 2nd Fl., New York ☎212-249-2230 10:00〜19:00 無休

文・写真／ムネミ・イマイ

A Bite Of The World

NY味覚旅行 VOL.07

真っ赤な幌と文字が目印のジャマイカン・ベーカリー＆フードスタンド。

ジャマイカン・パティと焼きそばロール。

ブルックリンに住んで十数年、その間に身近になった食材や食べ物がある。そのひとつが、ジャマイカ生まれのカレーパイ、パティだ。サンドイッチやバーガーよりも軽く、小腹がすいたときや飲んだ帰りに思わず手がのびる。ターメリックで色付けされた黄色いパイ皮は、さっくりしていてほんのり甘い。定番は、スパイスの効いた牛挽き肉のドライカレーやチキンにフィッシュ、ジャークチキンや野菜などのバリエーションがある。さらに通は、これをココブレッドという、生地にココナッツミルクが入ったパンにはさんで食べる。これを食べるたびに日本の焼きそばロールを思い出す。必然性はないけれど癖になるおいしさ。育ち盛りのジャマイカンキッズが発明したこと間違いなし！

パイ生地の中に詰められたスパイスの効いた挽き肉カレー。ビーフパティ＄1.75。

通の食べ方は、ココブレッドにサンドしたパティ・オン・ココブレッド。＄2.75。

Buff Patty

〈バフ・パティ〉376 Myrtle Ave., Brooklyn ☎718-855-3266 7:00〜22:00 日9:00〜21:00 無休

文・写真／松尾由貴

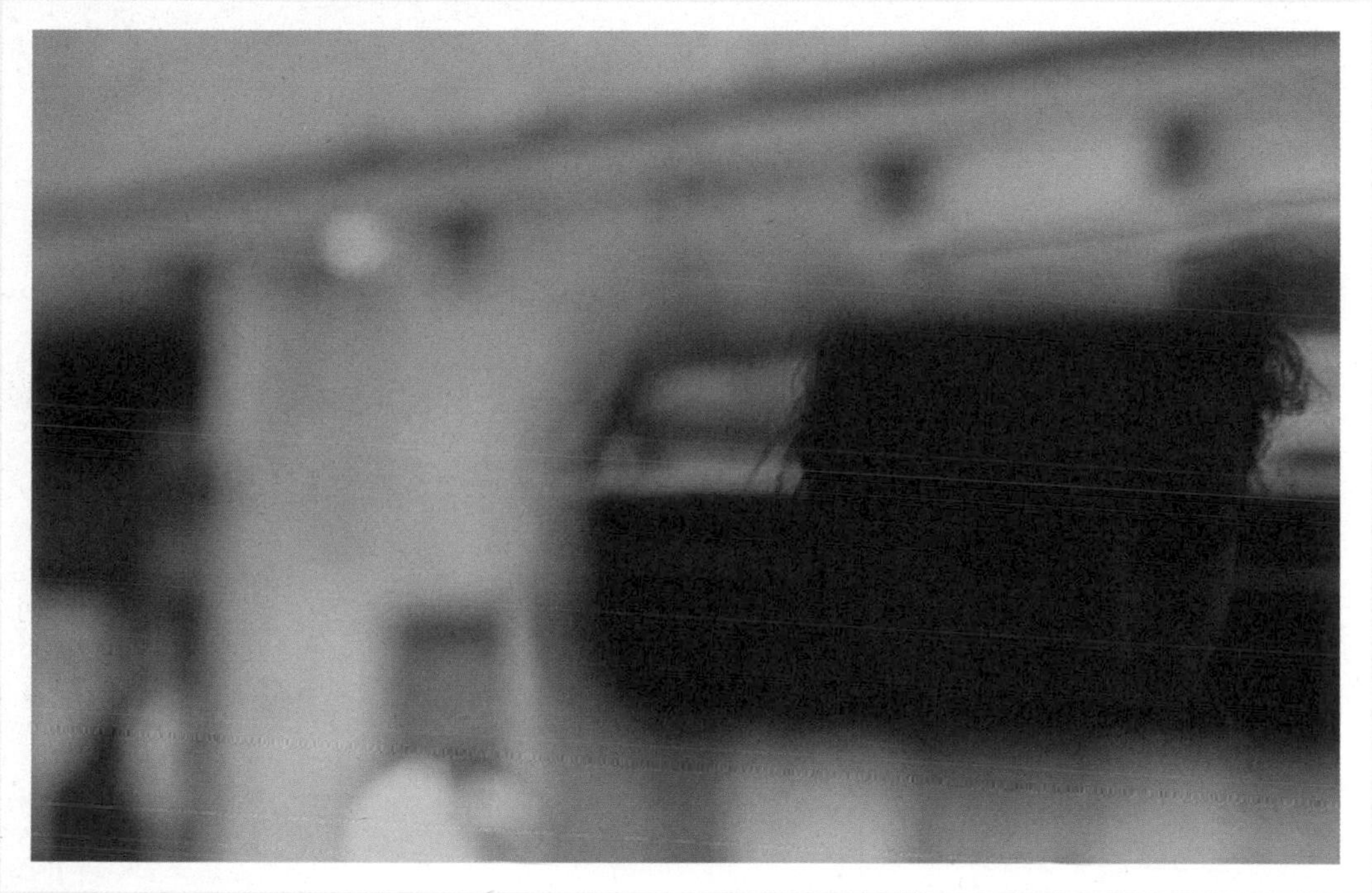

My New York Moment

NY在住写真家のフォトエッセイ　VOL.07

Roeg Cohen

ローグ・コーエン／30代に入ってから写真の世界に入った。商業写真のほかに、馬を被写体にしたシリーズ『エクイン』『カーフ・ロービング』がある。www.roegcohen.com

イメージに価値をもたらす、感情ある一枚。

写真を撮り始めたばかりの頃。ペンタックスのカメラを持ち歩き、自分のスタイルを見極めようとしていた。これは、今の自分に導いてくれた写真だ。ミートパッキング・ディストリクトが食肉加工の街から夜遊びの街に変わる頃、とあるファッションの仕事をしているときに、外の風景を撮るふりをしてロシア人のモデル、ルスラナを撮った。撮影が終わってから、写真家になりたいことを伝えると、彼女は「そのうち私の写真を撮ってくれるかもね」と言った。数年後、彼女の死を新聞で知った。この一枚が僕が初めて撮ったエモーショナルな写真になった。撮ったあとで意味を持ち、重みを増す写真が、イメージの価値を教えてくれた。

& New York

Walk In NYC

Boerum Hill

ボーラム・ヒル

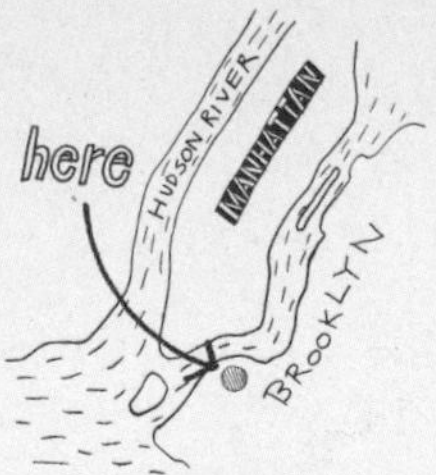

area data

ダウンタウン・ブルックリンの南側、アトランティック・アベニューとスミス・ストリートを中心に広がる小さなエリア。かつては労働者たちの街だったのが、今ではアッパー・ミドルが暮らす住宅街に。地下鉄A、C、G線のホイト・シェマホーン・ストリーツ駅か、F、G線のバーゲン・ストリート駅が最寄り。

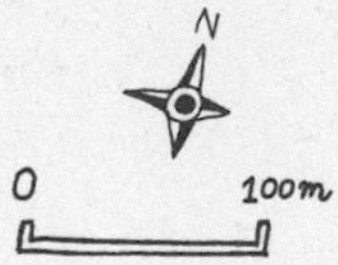

佐久間裕美子のウォーキンNY

VOL.08

文・写真／佐久間裕美子

地元に根付いた、
つくりのいい店の街。

見晴らしがいいバーゲン・ストリートとスミス・ストリートの角。

エリアの北端には高層ビルが並ぶダウンタウン・ブルックリンがチラリ。

ヴィンテージの家具ショップが立ち並ぶアトランティック・アベニュー。

5

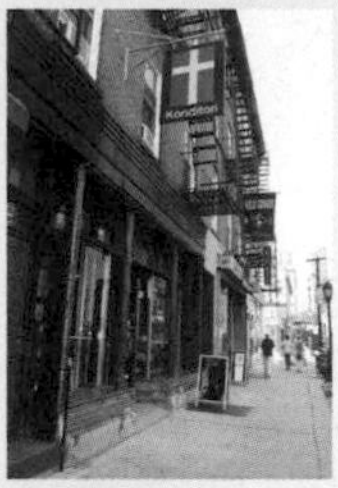

4

BookCourt

ブック・コート

1 いつも店先では地元の住民がチルアウトしている。**2** 出版社やミュージアムが作るトートバッグのセレクション。**3** 天窓から光が入る奥のスペースでは、朗読会やサイン会といったイベントが開催される。ノンフィクションや文学のセレクションがずらりと並ぶ。児童書のコーナーもお薦め。

163 Court St., Brooklyn ☎718-875-3677 9:00〜22:00(日10:00〜) 無休　イベントも盛ん。

Konditori

コンディトリ

4 スウェーデンの国旗を使った看板が目印。あっという間にブルックリンだけで6店舗に増えた。**5** 奥には「ファースク・ジュース」のバーがあって、その場でフルーツからジュースを作ってくれる。**6** クッキージャーのふたに入った文字がキュート。**7** ペストリー類もいいけれど、やはりお薦めは地元の人気者〈ドー〉のモチッとしたドーナツ。

114 Smith St., Brooklyn ☎347-721-3738 6:00〜20:00 無休　オリジナルのコーヒーも絶品。

6

7

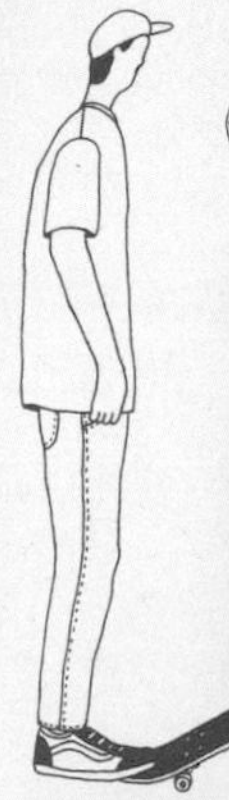

2

1

3

ONE GIRL COOKIES

ワン・ガール・クッキーズ

8 奥のキッチンから出来たてほやほやで登場したカップケーキ。クッキー類も。**9** エスプレッソバーでスタッフとお喋りするのも○。**10** ブルックリンでちょっとしたブームが起きているグラノーラ（各＄9）は、2度目以降、容器を持っていくと＄1割引き。**11** アクアブルーの壁とヴィンテージの写真が目印。オリジナルの料理本も。

68 Dean St., Brooklyn ☎212-675-4996 8:00〜19:00(日10:00〜 金〜20:00) 土9:00〜20:00 無休

9

8

11

10

ブルックリンがブームといわれて久しい中、ブルックリンの遊び場はどんどん東に、そして南に拡大しているけれど、そうなると、昔ながらのエリアが新鮮に見えてくる。今回取り上げたボーラム・ヒルには、かつて家族連れが暮らす住宅街というイメージをもっていたけれど、あらためて歩き回ってみると、地元に根付いた秀逸な個人経営の店と出合うことができることに気が付いた。

街歩きの起点には、地元に根付いた本屋が。

リーマン危機の後、大型書店がどんどん閉店したけれど、それ以後に地域に根付いたプチサイズの本屋の元気の良さが目に付くようになった。そんな店の一つである**〈ブック・コート〉**は、いつも著者のレクチャーといったイベントを活発に開催していて、わざわざ出かけたことも何度かあるけれど、本をハブに人々が集まるきっかけをつくっているコミュニティ性の高い店。そもそもこのエリアに興味をもったきっかけも、この店だったかもしれない。ここを起点にアトランティック・アベニューに足を延ばしてみると、独立系のブティックや、ヴィンテージをうまく取り入れたインテリアの店が点在していたり、スミス・ストリートを中心に、気が利いたレストランが増えていたりするのに気が付いた。

スミス・ストリートにできた**〈コンディトリ〉**は、最近、ブルックリ

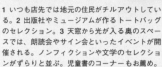

16

4

61 Local 61ローカル

12 ブルックリンの形をした黒板メニュー。軽食もコーヒー類も、すべてこのカウンターの後ろで。13 CSA（地域支援型農業）についての説明が。14 野菜たっぷりの「ノースイーストエッグサンドイッチ」（$10）。15 ご多分に漏れず昼間は仕事をしている人も多数。夜はビールや2階で行われるコメディなどのイベントを目当てに。

61 Bergen St., Brooklyn ☎718-875-1150 7:00～24:00（日9:00～ 金～翌1:00）土9:00～翌1:00 無休

12

5

GRDN Bklyn

ガーデン・ブルックリン

16 ガーデニンググッズと植物がバランスよく配置されている。店の奥には、屋外のガーデンが広がる。17 一つ一つ存在感たっぷりの花のセレクション。18 都会の暮らしの中で自然を想起させてくれるグッズ。19 作り手の個性によって風鈴もこれだけのバリエーションがある。日本の風鈴よりかなり大きめで、インパクト大。

103 Hoyt St., Brooklyn ☎718-797-3628 11:00～18:00（日12:00～）無休　センスのいい屋外用品も。

17

15

13

19

18

14

20

Boerum Hill

6

DRY GOODS

ドライ・グッズ

20 グルーミング系の商品や裁縫キット、文房具などが所狭しと並ぶ。21,22 ブルックリン、フランス、日本と、世界中から集めた商品が、ざっくり色ごとに配置されている。23 オーナー、カーラのテイストが表れるウィンドー。アメリカの田舎にかつてあった「ジェネラルストア」をイメージしているという。

362 Atlantic Ave., Brooklyn ☎718-403-0090 12:00～19:00 月火休

23

22

21

ンを中心に増えているカフェだ。スウェーデン語で「コーヒーやペストリーのある、人が集まる場所」という意味があるという。モチッとした味わいに定評がある〈ドー〉のドーナツ、クッキー類も充実しているけれど、ブルックリンでローストしたオリジナルのコーヒー豆はなかなか。

ますます盛り上がる、地産地消やスイーツ類。

ブルックリン産のスイーツは、追い切れない勢いで増えているけれど、**〈ワン・ガール・クッキーズ〉**は、2005年から営業している、いわばパイオニア。アクアブルーで統一した店内に、コーヒーバーとクッキーやカップケーキなどのスイーツが。ヴィンテージのメーソンジャーに入ったグラノーラが気になるところ。

バーゲン・ストリートの**〈61ローカル〉**は、ますます盛り上がる地産地消ブームを体現したような店だ。近隣地域のファームから買う食材を使った軽食が自慢で、シグネチャーの「ノースイーストエッグサンドイッチ」は、グリルドチーズサンドイッチというアメリカの伝統的な簡易料理をアレンジしたものだが、新鮮な野菜を入れるだけでこれだけおいしくなるのかと感嘆。

「ガーデン」を略した店名の**〈GRDN Bklyn〉**も、開店して十数年のエリアの顔。植物と生花のバランスがいいし、「都会のガーデナーのために」と選ばれたインテリア雑貨も気が利いている。

28

24

7 *COLLIER WEST*

コリアー・ウェスト

24 この辺りの家具屋の中でも個性派の一つ。**25** 様々な時代のヴィンテージのシャンデリアが天井を埋め尽くす。**26** 折衷主義で集められた食器や雑貨。統一感は心配しなくてもいいのだ。**27** かつてアラバマまで訪ねたアーティスト、ブッチ・アンソニーの作品が！　今のところ、彼の作品に出合えるのはニューヨークでもここだけ。

377A Atlantic Ave., Brooklyn ☎718-254-9378 12:00〜19:00（日〜17:00 土11:00〜）無休

8 *GREENHOUSE & CO.*

グリーンハウス＆コー

28 広々とした店内にミッドセンチュリー、インダストリアル系の家具がわんさか。奥にはリネンや寝具のコーナーも。**29**〈マッド・オーストラリア〉のディナーウエア。パステルの色みとバラバラのサイズ感がいい。**30** 時代が違うものをミックスしてもいい感じ。**31** ヴィンテージのシルバーウエアも大量に。

387 Atlantic Ave., Brooklyn ☎718-422-8631 11:00〜19:00 無休
ライフスタイルの参考に。

29

30

31

27

25

26

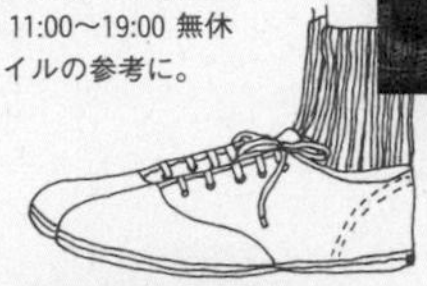

9 *WP STORE* WP ストア

32 店で力を入れている商品の一つがデトロイト生まれの時計ブランド〈シャイノラ〉。文房具やレザーグッズも。**33** 少し前まで〈スミス＋バトラー〉だったのが、生まれ変わった。**34**〈ウールリッチ〉〈エンジニアド ガーメンツ〉などカジュアルウエアを中心に取り扱う。**35** ブルックリンのテキスタイルブランド〈ヒルサイド〉。

225 Smith St., Brooklyn ☎718-855-4295 12:00〜19:00（日〜18:00）無休　これからも楽しみな店。

35

34

32

33

ヴィンテージと現代を、それぞれにミックス。

アトランティック・アベニューに足を延ばして、まずは**〈ドライ・グッズ〉**に。オーナーのカーラは、母親が複数の衣料品店を経営していたことから、「店に囲まれて育った」という。ここで扱っているのは、母親と世界を旅して見つけてきた歴史ある老舗の作り手や、個人のデザイナーが作ったものばかり。**〈コリアー・ウェスト〉**も、アンティークと現代の作り手によるクラフトをほどよくミックスした店だけれど、なんといっても圧巻なのは、ヴィンテージのシャンデリアのコレクション。**〈グリーンハウス＆コー〉**は、ミッドセンチュリーやインダストリアル系のヴィンテージ家具の店だけれど、サステイナブルな手法を用いた現代の作り手によるリネンや寝具、食器なども扱っていて、そのミックスの仕方が絶妙だ。この辺りの店は、ヴィンテージと現代、とうたっていることはほとんど同じな割には、そのスタイルはそれぞれ独特な視点をもっていて、自分なりの生活デザインをする上でとても参考になる。

ボーラム・ヒルの街歩きの最後は、スミス・ストリートを南下したところにある**〈WP ストア〉**。ラギッドなカジュアルウエアとヴィンテージのオートバイの店が、イタリアの〈WP ストア〉とタッグを組んで生まれ変わり、ウィメンズの商品も増えた。これからの商品展開が楽しみ。

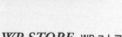

Owner's Favorite

イカした店主のお気に入り VOL.08

スタンレー・ジョージさん

インド移民の両親のもとブロンクスに生まれる。ハリウッド、チャイナタウンなどで薬剤師を務めたのち、〈スタンレーズ・ファーマシー〉をオープンした。

気取らないインテリアに味への自信を、窓の手書きのサインにセンスを感じる。右上がオーナーのディン、右下はエビの「シー」。とにかく一度食べたらやみつきになってしまう、ほかにはない味わい。

サンドイッチの概念を覆す、オリジナリティ溢れるメニュー。

ある夏、〈スタンレーズ・ファーマシー〉の近くを散歩しているときに、ディン・イエイツとばったり会って、どういうわけか会話が始まった。真夏で30℃を超えているというのに、ディンは黒いレザーのとてもクールなジャケットを着ていた。そうやってディンが、僕の店からそう遠くないロウワー・イースト・サイドでサンドイッチ店をやっていることを知った。

〈チーキー・サンドイッチズ〉で食べられるメニューは、サンドイッチという言葉で表していいのかと悩むほど。あまりのおいしさに靴下が脱げそうになるはず！ 僕が保証する。

ディンの考案するメニューは、ふるさとニューオリンズのサンドイッチをアレンジしたもの。この店を発見してから、僕にとってのサンドイッチは、〈チーキー〉の「シー（シュリンプ・ポーボーイ）」になった。マヨネーズとホットソースがかかったエビフライのサンドは、危険なほど中毒性が高い。ときどきひとつ食べたあとに、またすぐ次にもうひとつオーダーしてしまうことがあるくらいだ。

Cheeky Sandwiches

〈チーキー・サンドイッチズ〉35 Orchard St., New York ☎646-504-8132 7:00〜21:00（金土〜24:00）無休 オイスターの「ポーボーイ」、ビーフのリブのサンドも人気。朝から晩まで食べたい。

Munemi's Beauty Pick

Munemiのビューティ ピック VOL.08

フィールグッドな環境志向のサロン。

天窓から自然光が燦々と入るスペース。廃材を使ったとは思えないクリーンなインテリア。

エディトリアルの世界やセレブのスタイリストとして活躍するマルコ・サンティーニとレオナルド・マネッティ。イタリアの学生時代からの旧友という2人がプロデュースする環境志向の高いサロンがここ〈イオン・スタジオ〉。「無駄を出さずに最良の技術を提供」をモットーに、天井から自然光が入るスペースの内装には、リサイクルされた廃材を使い、風力発電を利用した電気を使っているというから徹底している。トップモデルにも支持されるサロンだ。

Ion Studio

〈イオン・スタジオ〉41 Wooster St., New York ☎212-343-9060 10:00〜20:00（月13:00〜 土〜18:00）無休

文・写真／ムネミ・イマイ

A Bite Of The World

NY味覚旅行 VOL.08

オールドスクールのフォントと色褪せた看板がその歴史の長さを物語る。

秋限定のパンプキン＆レーズンクニッシュ（＄5）はまるでデザートのよう。

定番のポテトクニッシュ＄3.50。薄い生地の中はぎっしりのマッシュポテト。

100年の歴史を包み込んだクニッシュ。

コーシャフード店が多いロウワー・イーストは、ジューイッシュ移民がアメリカに最初に到着して、コミュニティを築いた名残が今も色濃い、ヒストリックなエリアだ。そこに創業1910年、アメリカ最古のクニッシュ専門店がある。クニッシュとは、マッシュポテトをパイのような薄皮で包んで焼いた、ピロシキとサモサを足して2で割ったようなもので、東ヨーロッパの特にユダヤ教徒の間で幅広く食べられてきた。ジューイッシュ移民とともにニューヨークにやって来ると、アメリカンサイズへと拡大しながら東海岸を中心に根付いた。拳大もあるそれは、ずっしりと重くボリューム満点。好みで、ピクルスやコールスローをつけてもいいし、ホームメイドボルシチもおすすめ。

Yonah Schimmel Knish Bakery

〈ヨナ・シンメル・クニッシュベーカリー〉137 East Houston St., New York ☎212-477-2858 9:00〜19:00（金土〜21:00）無休

文・写真／松尾由貴

My New York Moment

NY在住写真家のフォトエッセイ　VOL.08

Ruvan Wijesooriya

ルヴァン・ウィジェスーリヤ／ミネソタ州出身。スケートボード・カンパニー、音楽ライターなどを経て写真家になった変わり種。フィルムカメラにこだわり続ける。http://ruvan.com

普段の中で捉えた、白日夢のような感覚。

　これまで自分のアパートの窓から無数の写真を撮ってきたけれど、これは特別な一枚。スティルライフなのに、瞬間を捉えたものだから。雨がやんだ後、球状になったしずくが重なり合って、ニューヨークの街の上を泳いでいるように見える。このとき僕が住んでいたのは、イースト・サイドのセントラル・パークを見下ろす高層ビルで、遠くにトランプ・パレスが見えた。写真全体のブルーのトーンは、ノスタルジックな気持ちと物悲しさを感じさせる。人を被写体にしたわけでも、抽象を追求した写真でもなく、自分の普段の作風にもフィットしない。でもニューヨークの雨が想起させる霞がかった白昼夢のような感覚を捉えている。

& New York

Walk In NYC

Orchard Street

オーチャード・ストリート

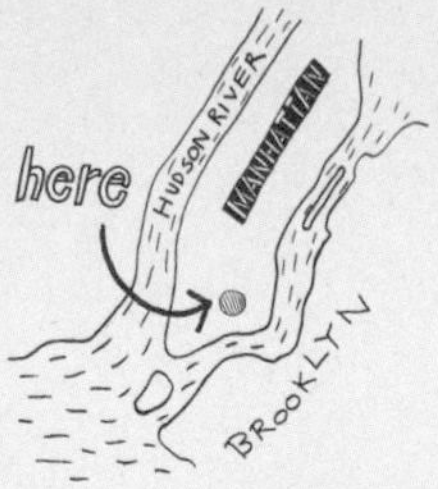

area data

伝統的にニューヨークに到着したばかりの移民が多かったロウワー・イースト・サイドは、ハウストンの南側、カナル・ストリートまでをざっくり指す。今回取り上げたのはデランシー以南、オーチャード・ストリートを中心にしたエリア。地下鉄はF・J・M・Z線のデランシー／エセックス・ストリート駅が便利。

佐久間裕美子の
ウォーキンNY
VOL.09

文・写真／佐久間裕美子

ラッドロー・ストリートにある謎の建物がキャンバス状態になっている。

この辺りは住宅ビルの1階がショップになっているパターンが多い。

アレン・ストリートの工事現場も誰かが創作の場にしちゃったみたい。

**おいしいレストランと
ユニークな店揃いの地区。**

2

CANADA カナダ

4 奥に長く広がる〈カナダ〉。5 2014年に開催されたキャサリン・バーンハートの個展の超大型ペインティング。6 どうやってインストールしたのだとうなってしまったジョハナ・マリノウスカの『ア・ホーク・フロム・ア・ハンドソー』はインパクト大だった。7 壁や天井を使って3Dの空間を作ったサマラ・ゴードンの個展「ア・フォール・オブ・コーナーズ」。

333 Broome St., New York ☎212-925-4631 11:00～18:00 月火休　移転しながら進化。

4

7

5

6

2

1

1

TOP HAT

トップ・ハット

1 レトロな色みが可愛い〈オウマ〉のケース。オンラインでは買えませんよ。2 バックパックはイタリアの〈ナチ・コン・ラ・カミシア〉のもの。ベルギーのクッション、欲しい！　3 文房具やツール類が充実。どれも機能性が高い上に、見た目も良し。日本の文房具もぽつぽつと。

245 Broome St., New York ☎212-677-4240 12:00～20:00 月休　若手２人によるホームグッズの店。

3

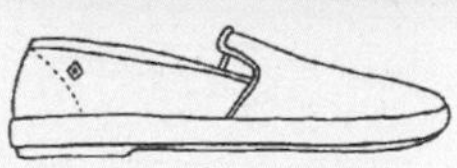

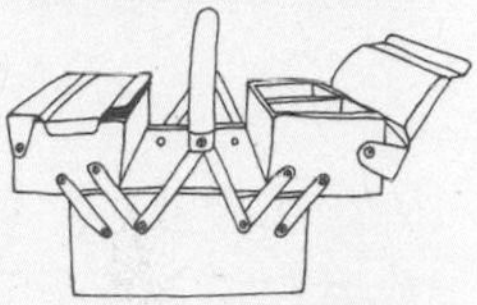

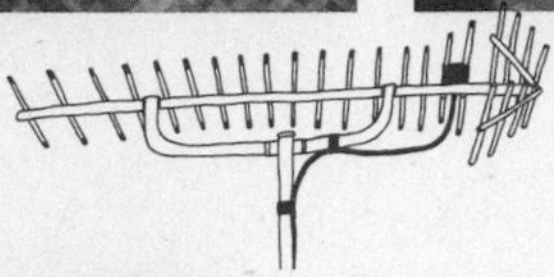

3

PROJECT No.8

プロジェクト・ナンバー８

8〈エースホテル〉の店舗より、ゆったりしているこの店舗のインテリア。お土産にぴったりな雑貨がめじろ押し。9 トリ好きの友達いなかったっけ？〈ベビー・ピジョン〉のオブジェは、一つ一つ表情がある。10 アーティストのジェーン・ダレンスボーグが、調理器具などに使われがちなパイレックスで作ったアクセサリーのシリーズ。11 雑誌あり、ストリートウエアあり、文房具あり。じっくり見て初めて意味のわかるものも。

38 Orchard St., New York ☎212-925-5599 12:00～19:00 無休　オーナーはデザイナーのカップル。

11

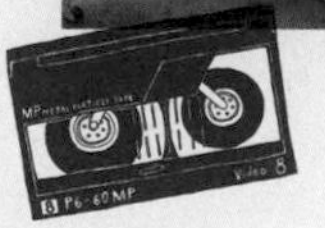

8

10

9

ロウワー・イースト・サイドは、2000年代前半からホテルやショップ、ギャラリーがぽつぽつできるようになって、今ではすっかり楽しいエリアになったけれど、特に最近、チャイナタウンに隣接する南側のエリアに出かけることが増えた。チャイナタウンとの境のイタリアンレストラン〈バカロ〉に行くこともあるし、今もマンハッタンに暮らす友人たちがハングアウトするバーもある。日中の街歩きには、オーチャード・ストリート沿いが、楽しいショップが増えてお薦めだ。

老舗も新顔も、入れ替わるオーチャード。

まず、この辺りを歩いていて楽しいのは、アーティストたちが手がける、インテリア雑貨を探すこと。たとえばニーナ・アレンが、世界中の老舗メーカーが作り続けている素晴らしい雑貨を集めた**〈トップ・ハット〉**は、私が必ず立ち寄る一軒。ギフトショップという言葉がぴったりの珠玉の店で、まだまだ世界のどこかに、長い年月、作り続けられているものがあるのだということを、教えてくれる。誰かに贈り物をする言い訳はなかったかしらんと、妄想しながら見るとなお楽しい。

オーチャード・ストリートを下っていくと、**〈プロジェクト・ナンバー8〉**がある。このストリートでは古顔で、この辺りに何も店がなかった頃から、アーティストたちが作る、

16

14

13

12

6

20

Gavin Brown's Enterprise

ギャビン・ブラウンズ・エンタープライズ

20 グランド・ストリートのスペース。道行く人を誘うようなショーウィンドー的な展示がユニーク。もうすぐハーレムに2軒目を移動する予定。**21** 大量の赤い風船を使ったマーティン・クリードによるインスタレーション。**22** 最近ウェスト・ヴィレッジのスペースを閉めて、現ロケーションに絞っている。写真は2015年9月に行われたジョン・シールの個展から。

291 Grand St., 3rd Floor, New York ☎646-918-7019 12:00〜18:00 月火休　ハーレムに進出予定。

15

COMING SOON

4

カミング・スーン

12 友達ながら、なかなかやるね、とうなってしまったネオンサイン。**13** デザインフェアで出会って意気投合し、お店を一緒に開くまでになったファビアナとヘレナ。**14** ショップのコンセプトは決めないことがコンセプト。**15** 布のバッグに入ったクリスタル。買った人が自分で叩きつけて割る、というものなんだそう。**16** 人気急上昇中のデザインユニット〈チェン・チェン＆カイ〉が本物のフルーツを型に使って作る、パステルカラーのコンテナ。一つ一つ微妙に形や大きさが違う。植木鉢にするのがいいみたい。

37 Orchard St., New York ☎212-226-4548 12:00〜20:00 無休　「もうすぐ開店」という店名もいい。

LOWER EAST SIDE

18

21

22

19

5

GEORGIA

ジョージア

17 元バーテンダーのジョージアは、ヴィンテージを集めるうちにお店をやりたくなったというコレクター。**18** 一つ一つスペシャルなドレスやジャンプスーツなど。**19** かつては衣類店が密集していた地域。シャツ専門店の外観を残しつつパイナップルを付けているのもキュート。

27 Orchard St., New York ☎646-481-8522 12:00〜20:00 月休　オープンした途端に話題店に。

17

機能的な雑貨を中心にセレクトしていて、訪れるたびに欲しいと思わせてくれるものと出合える。作り手の顔を想像するのが楽しくて。

　そして向かいには、友達のカップル、ファビアナとヘレナが運営する店がある。すでにオープンしているのに**〈カミング・スーン〉**という名前がついているのが、なんかキッチュでいい。誰かのリビングルームのようなこの店には、彼女たちが自ら集めた、ニューヨーク内外の作り手の雑貨が溢れていて、一つ一つの商品に、ユーモアのセンスを感じさせる説明書きが入っている。ついつい長居してしまう店。

　友達に新しい店ができたから行ったほうがいいよと薦められたのが、古着屋**〈ジョージア〉**だ。最近、ヴィンテージといえば、'80年代のポップな感じが主流になって、'70年代に強い店が少なくなったのをちょっとさみしく感じていたけれど、〈ジョージア〉を訪ねてみて、久々に気分がアガった！　久しぶりに'70年代風の装いで夜遊びに出かけてみるのも悪くない、と想像したり。

　ロウワー・イースト・サイドといえば、チェルシーの名門ギャラリーに対するカウンター勢力というイメージが強い一方で、できたと思ったら消えていくギャラリーも多く、追いかけるだけでも精一杯だけれど、**〈カナダ〉**や**〈ギャビン・ブラウンズ・エンタープライズ〉**には、いつも注目している。それは、競争の厳しいこの業界で、自分たちの思想や

31

THE FAT RADISH ザ・ファット・ラディッシュ

7

23 店内に店の名前をネオンで入れちゃうセンスも好きだ。壁に使われているのはヴィンテージの「サブウェイ・タイル」？ 24 むき出しの白いレンガに緑が映える。25 店の奥のミラーに書かれる、その日入った野菜のリストを見るのがいつも楽しみ。26 ヴィンテージ風味満載のバー。カクテルを飲むべきかワインを飲むべきかいつも迷います。

17 Orchard St., New York ☎212-300-4053 ランチ12:00〜15:30（月休） ブランチ土日11:00〜15:30 ディナー17:30〜24:00（日〜22:00） 無休

24

23

Dimes Market ダイムス・マーケット

9

31 ロゴがキュートなボトルに入っているのは、オリジナルのホットソース（＄8）。この他シャロットのビネグレットやローズマリー風味のバルサミコ・ヴィネグレットなどがある。32 近くで営業しているカフェが大ヒットしたことから、オープンさせた食料品店。新鮮な野菜も毎日仕入れられている。33 量り売りのコーナー。ナッツ類、豆類、チアシード、ココナッツフレークなど。

143 Division St., New York ☎212-240-9410 9:00〜22:00（土日〜20:00） 無休

26

25

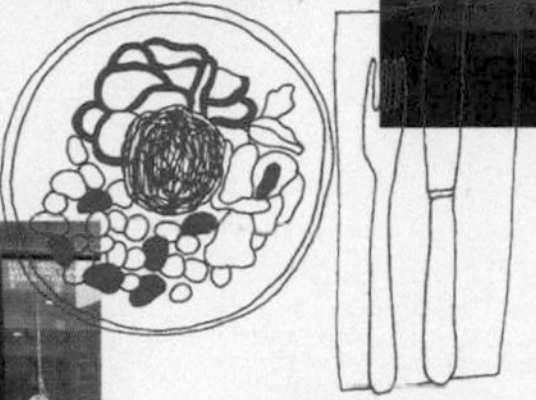

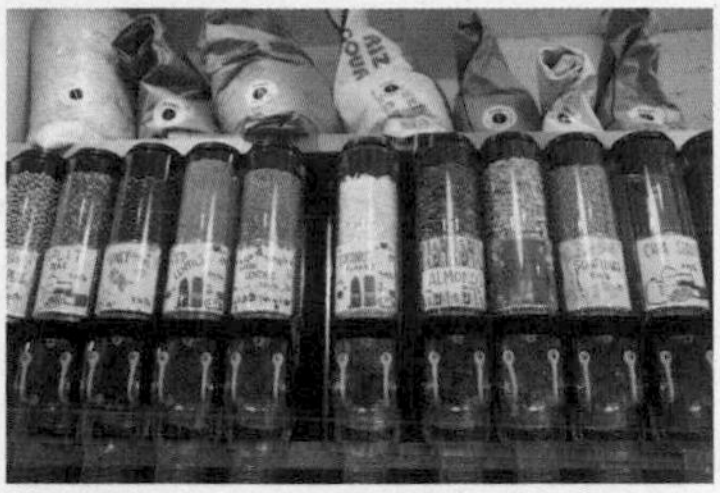
33

32

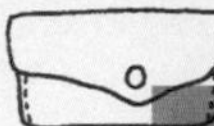

29

27

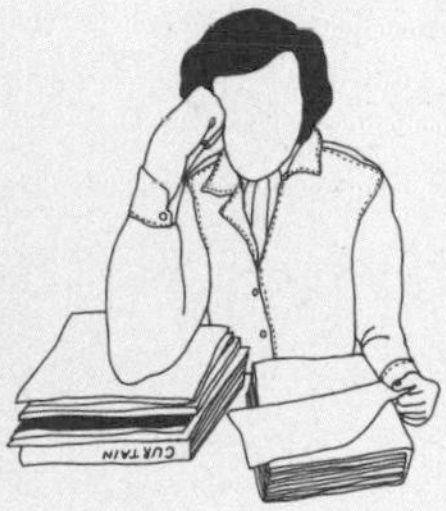

BILLYKIRK ビリーカーク

8

27 手作り感溢れるキャリー・オールはワックス加工のキャンバスとレザーのコンビ。28 たまたま通りかかったら、オープンの準備をしていた。このグリーンいいね。29 革の色サンプルとステッカー。30 商品のバリエーションが多い！ ペンシルベニアでアーミッシュの人たちが作っているところを想像してちょっと不思議なキモチに。

16 Orchard St., New York ☎646-684-4050 11:00〜19:00 日12:00〜18:00 無休

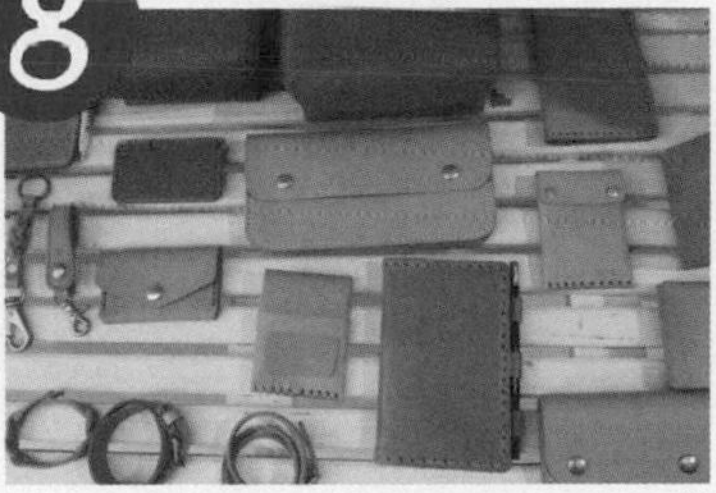
30

28

テイストを、オルタナティブな視点から明確に表現し続けているから。

ちょうどこのエリアを歩いていたら、開店準備をしている店だ！と偶然に発見したのが〈ビリーカーク〉。レザーのバイクグッズに馴染みのある人もいるかもしれない。'90年代にブレイ兄弟の手によってカリフォルニアで生まれたこのブランドは、最近になって生産拠点を国内に移したという。商品はすべてお抱えの職人か、ペンシルベニア州のアーミッシュたちが作っている。手作業の温かみを感じさせる商品展開。

最近、この辺りでおいしいレストランがとみに増えていて、どこを取り上げるべきか悶々としたけれど、やっぱり大好きなのは〈ザ・ファット・ラディッシュ〉。野菜ってこんなにおいしいんだ、ということを教えてくれた店の一つでもある。ヴィンテージシックとでもいえばいいのか、このインテリアもとにかく落ち着くレストランの一つ。

ヘルシーなんだけれど、ちゃんと食べごたえのあるメニューで、オープンと同時にすぐに人気が出て、コミュニティのハブとしてカナル・ストリートに活気をもたらしたカフェ〈ダイムス〉は、2015年に食料品店舗の〈ダイムス・マーケット〉をオープンさせた。サブリナとアリッサの2人が、カフェ〈ダイムス〉で表現する思想に沿ったこのマーケットでは、少量生産の作り手による調味料やオイル、体に優しい新鮮な食材を取り揃えている。

Owner's Favorite

イカした店主のお気に入り　VOL.09

ディン・イエイツさん

ニューオリンズ出身。南部風の味付けとパンの風味に定評のある〈チーキー・サンドイッチズ〉のオーナーでシェフ。現役のモデル、２児の父親でもある。

旬の食材を使ったメニューとカクテル、そして音楽が自慢。人気は、カクテル「グリーン・ステアド・ダイアモンド・ピール」にオイスター。右端の写真がブライアン。ローカルに人気のコンフォート系の店。

食事、音楽、カクテル 人生を豊かにする3つが揃う。

〈ザ・ウェイランド〉のオーナーのひとり、ブライアンは、頻繁にうちの店にサンドイッチを食べにきてくれる常連さん。アフロヘアの白人なんだけど、ルックスに負けないくらいユニークなやつで、いつしか親しくなった。アルファベット・シティにあるバー〈ザ・ウェイランド〉は、音楽と酒、そして料理をカジュアルに楽しめるいい店。オープン当時、水曜日だけだったライブ演奏のプログラムは、最近では週に３、４回まで拡大してきて、これからも増やしていく予定だという。

料理のほうも本格的だ。リンゴとトマト、チリで煮込んだ放牧チキンのサンドイッチは絶品で、注文することが多い。同時にその日に入る食材によって変わるメニューも秀逸で、だから飽きることがない。僕はアルコールを飲まないけれど、カクテルにも定評がある。

食事、カクテル、ライブで聴ける音楽、３つのうちひとつだけをとっても、それぞれこの店は群を抜いている。このうちふたつに興味があるのなら、一度は訪れるべき店だと思うね。

The Wayland

〈ザ・ウェイランド〉700 East 9th St., New York ☎212-777-7022 17:00～翌4:00 無休　アルファベット・シティのコミュニティ・ガーデンふたつの間に位置する。http://thewaylandnyc.com

NEW YORK DAYDREAM

本と映画で夢見るNY　VOL.01

父探しの旅に出る青春小説。

今回からスタートの新コラムは、ニューヨークが舞台の本や映画を紹介します。

ちょっと落ち込んだときに読み直したくなるのがポール・オースターの『ムーン・パレス』。主人公の「僕」がセントラルパークで野宿をしたり、ブルックリン美術館に所蔵されるブレイクロックの『月光』が登場したり、ニューヨークのいわゆる「名所」がたびたび登場。つらいときでも、傷つきながらも前進する主人公と自分を重ねると、ニューヨークという街に励まされる気がする一冊。

『ムーン・パレス』ポール・オースター（新潮社文庫） 1960年代後半、父を知らず、母とも死別、唯一の血縁である叔父を失い、生活費も尽きてセントラルパークで野宿を始めた「僕」。盲目の老人の下で働くうち、自らの家族の真実を知る。

文／長谷川安曇

A Bite Of The World

NY味覚旅行　VOL.09

NYで一番人気のファラフェル店。小さな店内はスパイスと香ばしい香りが充満。

イスラム風味の揚げたて豆コロッケ。

私は自他ともに認める中東料理好きだ。ラム肉も好きだし、クミンをはじめとするスパイスとタヒニ（セサミペースト）の組み合わせがとても好みだ。NYに暮らすようになってからは、かなり頻繁に中東料理を食べる。特にファラフェルは、豆腐と同じ頻度で食べるほど好きな豆料理。ウェスト・ヴィレッジにあるこの店は、数あるファラフェル専門店の中でも草分け的存在で、ファミリーレシピによる中東のスナックを1971年から作り続けている。他にはケバブのサンドイッチやスピナッチパイも人気。NY大学とワシントンスクエアパークの近くにあるので、テイクアウトの行列が絶えない。朝５時までの日があるのもうれしい。飲んだ後のファラフェルは、ラーメンより罪悪感も軽い？

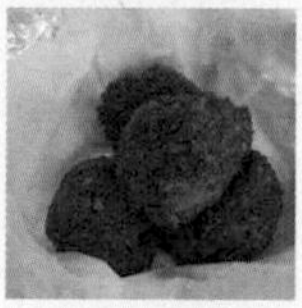

揚げたてのファラフェルが３つでたったの＄２。サンドイッチ＄3.50もおすすめ。

スパイスの効いた串焼きのラム肉と野菜をはさんだシシカバブサンドイッチ＄６。

Mamoun's Falafel

〈マモウンズ・ファラフェル〉119 Macdougal St., New York ☎212-674-8685 11:00～翌2:00（木金土～翌5:00 日～翌1:00） 無休

文・写真／松尾由貴

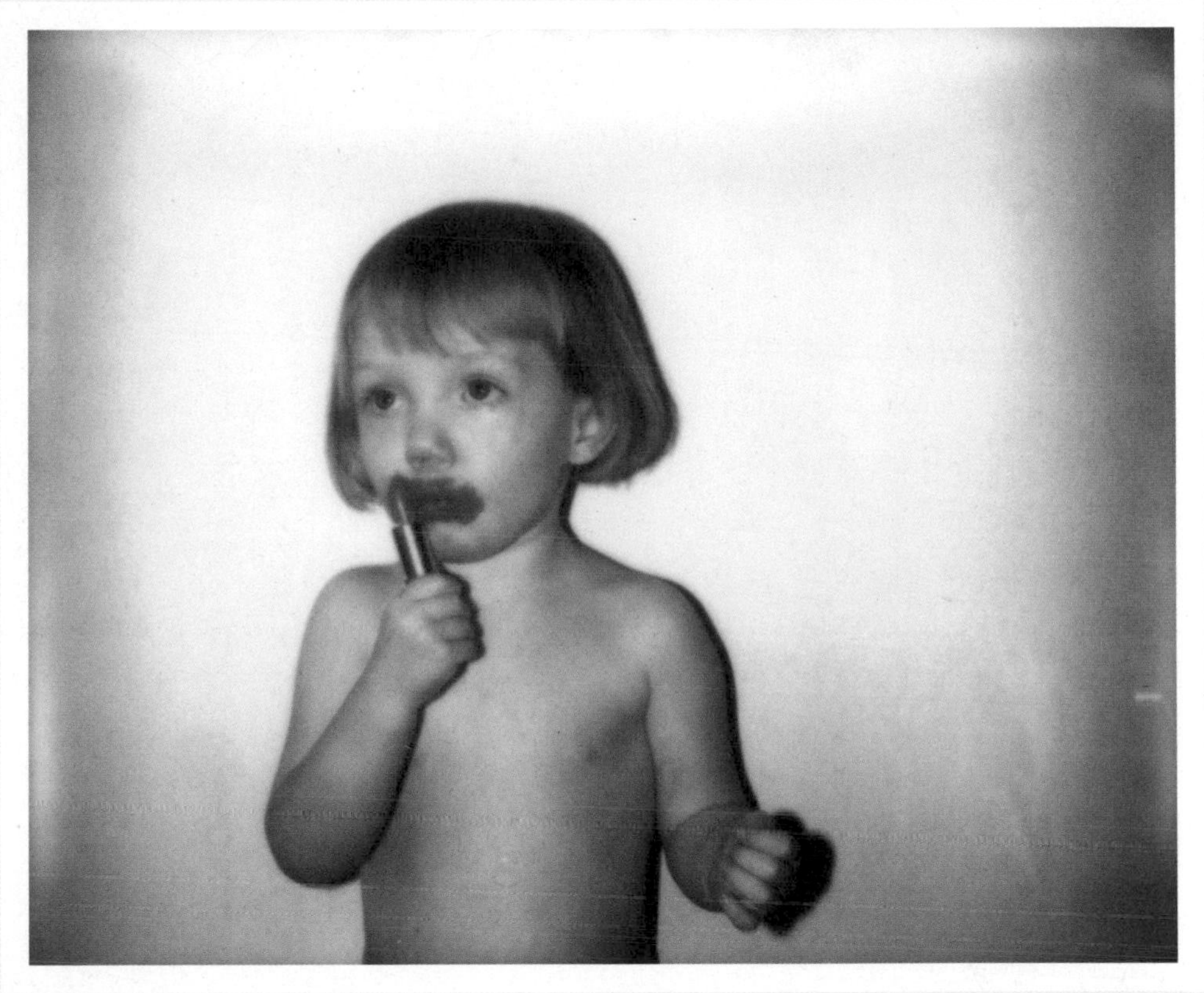

My New York Moment

NY在住写真家のフォトエッセイ　VOL.09

Raquel Nave

ラケル・ナヴェ／カリフォルニア州出身。ティーン時代からモデルとして活動し、そのうちポラロイドで写真を撮るように。写真集に『Live Free In Hell』。www.raquelnave.com

自由の街で娘を育てるということ。

この写真は「MOM」というシリーズの一枚。娘のイーグルは3歳、自立に向けて闘う年齢にあって、大人の行動を観察し、真似しようとする。私の口紅をつけるのが好きみたいだ。映画『ワイルド・アット・ハート』のワンシーンを思い出す。この街について好きなのは、自由であるという感覚。誰もが、いつでも、好きなときに好きなことができる。拘束するルールや伝統は感じない。それが美しいことでもひどいことでもある。この街で子供を育てるのは奇妙な感じだ。ここで育つ子供は12歳頃までにはすべてを見てしまう。でもそれがいい。ニューヨークをサバイブできたら、これからやってくるどんなことにも備えることができるから。

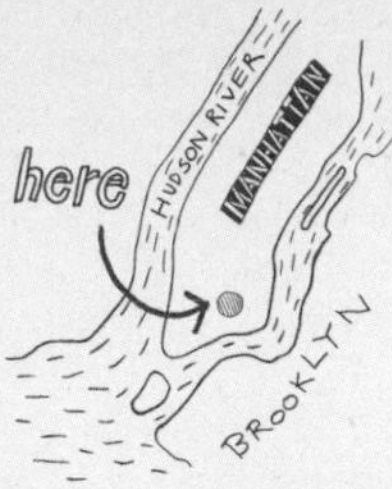

& New York

Lower East Side

ロウワー・イースト・サイド

Walk In NYC

佐久間裕美子の
ウォーキンNY
VOL.10

文・写真／佐久間裕美子

area data

イースト・ヴィレッジの南、アレン・ストリート以東、ハウストンとデランシーの間を指すことが多いけれど、近年は南へ、西へとエリアが拡大中。地下鉄B・D線のグランド・ストリート駅か、F線のデランシー／エセックス・ストリート駅が最寄り。歴史的にNYに到着したばかりの移民が落ち着いた場所だった。

ヒスパニック系の教会も、この色使いがユニーク。人種的にも多様なエリア。

エリアのランドマーク〈カッツ・デリ〉でパストラミ・サンドを試して。

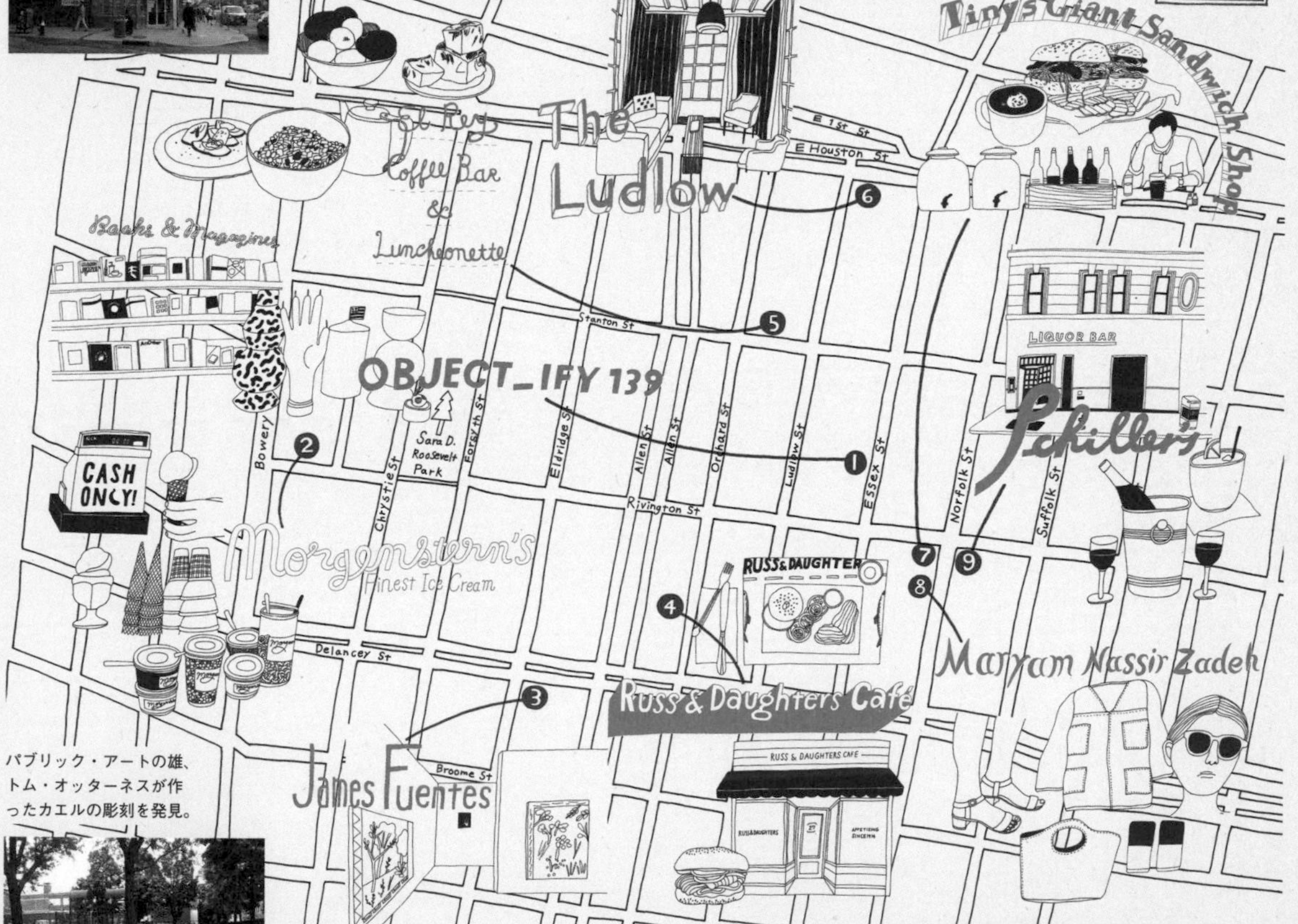

パブリック・アートの雄、トム・オッターネスが作ったカエルの彫刻を発見。

ニューヨークの空気感を体現する、
老舗とヒップな店が混在するエリア。

1

2

3

4

Object_ify 139

オブジェクティファイ 139

1 少ない人数のアーティストと密な関係を築く手法がスマート。オブジェクトとしても存在感あるアナログ盤は試聴ステーションもあり。**2** エセックス・ストリートのギャラリーのような外観。**3** オーナーのマリアが自ら作るというキャンドルのシリーズ。自由の女神、少女ふたりがキスしているものなど。**4** ひとつひとつ手に取りたいアーティストの作品集のディスプレイの仕方がいいね。

139 Essex St., New York ☎646-370-6993 12:00～20:00 無休
オーナーのマリアに会えるかも。

6

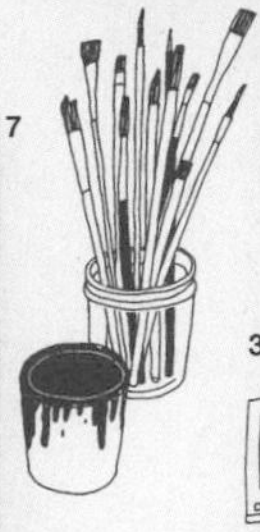

5

7

8

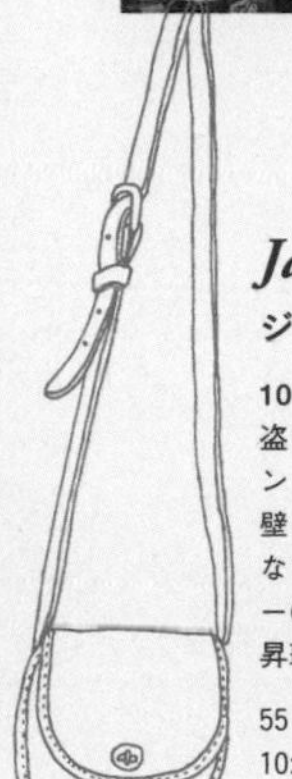

9

Morgenstern's Finest Ice Cream

モーゲンスターンズ・ファイネスト・アイス・クリーム

5 人気のメニューのひとつ「ソルテッド・プレッツェル」（カップならシングルで＄４、コーンは＄５）。キャラメル系のフレーバーは３種類、バニラだけで５種類もある！　卵を使わないから後味が爽やか。**6** この日はいなかったけど有名レストランを渡り歩いたニコラスがオーナー。**7** なんだか懐かしい気持ちになるブルー。インテリアもレトロ感抜群。長い列ができるときも。**8** オリジナルのグッズもポップでキュート。**9** フロート系、トッピングも。

2 Rivington St., New York ☎212-209-7684 8:00～23:00（金土～24:00）無休　キャッシュのみ。

10

11

James Fuentes

ジェームス・フエンテス

10 アメリカ国内で換金するために廃屋から銅線を盗む犯罪が増えていることをテーマにしたライアン・コンラッド・ソイヤーの個展。ギャラリーの壁を破壊して銅線を露出させたコンセプチュアルなショー。**11** LA在住の作家ジョン・マクアリスターの個展「タイズ・マスト・エクサルト（潮流は昇華しなければならない）」から。色と構図が独特。

55 Delancey St., New York ☎212-577-1201
10:00～18:00 月火休　夏に改装した。

ロウワー・イースト・サイド（LES）が好きなのは、ニューヨークという街の成り立ちを体現している場所だから。かつて多くの移民がニューヨークに来たとき、最初に落ち着いた場所。今もその名残が色濃く残っている。このあたりが現代の文脈でヒップになったのは、2000年代前半だっただろうか。〈アレッジド・ギャラリー〉がアートを盛り上げた頃は、まだ限定的だったけれど、その後、ライブハウスやレストランが次々と登場し、ヴィンテージショップやブティックが続いた。今、気になる場所を歩いてみた。

新顔店が生まれては消え、また生まれる場所。

ニューヨーカーが「LES」というときは、ハウストンとデランシーの間、アレン・ストリートより東を指すことが多い。けれど、バワリーとアレン・ストリートの間にもポツポツ行きたい場所が増えている。**〈オブジェクティファイ 139〉**は、オーナーのマリアのセンスがきらりと光る珠玉の店。ニューヨークのアーティストとコラボレーションするオリジナルのポストカードのセットや、マリアの作るキャンドルなど、スペシャル感の高い商品展開が好きだ。

チャイナタウンからデランシーに何年か前に移転した**〈ジェームス・フエンテス〉**は、ニューヨークの中でももっとも好きなギャラリーの一つ。アガタ・スノウやジョナス・メ

20

13

12

6 *The Ludlow*
ザ・ラッドロウ

20 ロウワー・イースト・サイドから北側が見える眺めのいいペントハウス。**21** マンハッタンのホテルにしてはゆったりしたバスルーム。**22** モダンだけれども、温かみのあるインテリア。所有するホテルのすべてを自らデザインし、ヴィンテージの家具などで装飾することで知られるオーナーのショーン・マクファーソンらしいスタイルだ。地階ラウンジのインテリアや家具、アートも必見。

188 Ludlow St., New York ☎212-432-1818　ホテル内のフレンチレストランも人気がある。

21

22

Lower East Side

4 *Russ & Daughters Café*
ラス＆ドーターズ・カフェ

14

15

12 老舗なはずが、カフェのほうはマーブルのテーブルやロゴのグラフィックがすっかりおしゃれに。**13** 伝統的なユダヤ系の魚の食べ方ならこの老舗の右に出るものなし。**14** 驚くほどモダンな内装はリブランディングの一環らしい。座って食べられるのは嬉しいけれど。ハウストン・ストリートの本店で食べられるベーグルも忘れずに。**15** こちらもブルーとホワイト。

127 Orchard St., New York ☎212-475-4880 8:00〜22:00 火休　店のイメージカラーは一緒。

5 *El Rey Coffee Bar & Luncheonette*
エル・レイ コーヒーバー＆ランチョネット

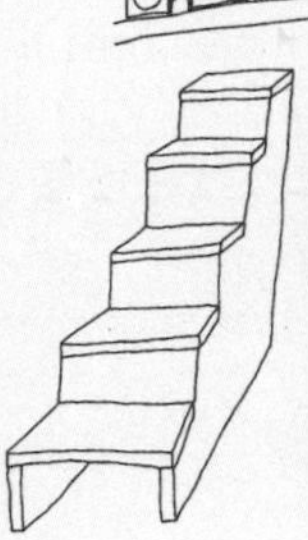

19

16 軽食もいいけれど、コーヒー系のドリンクも相当本格的。夕方からはドラフトのビールやワインもどうぞ。**17** ビーツのジュースにつけたピクルド・エッグ（＄2）と、この日のスペシャルだった自家製のグラノーラ。簡易キッチンでもここまでできるのかと感心してしまう。**18** 暖かい季節は表のバーを開放して風通しのいい空間を実現。**19** サインもおしゃれ。

100 Stanton St., New York ☎212-260-3950 7:00〜21:00（土日8:00〜）無休　朝から夜まで人気。

17

16

18

カスなど、独特な立ち位置で創作を続けるアーティストの作品を展示していて、いつも次に何を見せてくれるか楽しみなギャラリー。

〈フリーマンズ〉の並びにある**〈モーゲンスターンズ〉**は、今のニューヨークで、一番行ってほしい店の一つ。この店のおかげでアイスクリームの概念が変わった！と言っても過言ではないくらい。卵を使っていないから、甘いのに喉が渇くことがない。空気のように軽くて、ハッピーな味。まだまだ試していないフレーバーがたくさんあるから、近くにいるときは必ず寄ってしまう。

おいしいものがザクザク、プロパーなLES。

プロパーなLESのど真ん中に、乾燥させた魚やベーグルで有名な老舗**〈ラス＆ドーターズ〉**が最近カフェをオープンした。本店の古いムードが好きな人には、ちょっとヒップすぎるきらいはあるけれど、この店の商品を座って食べる場所ができたのは喜ぶべきこと。伝統のユダヤ食も、ここなら一段上のレベル。

〈モーゲンスターンズ〉のニコラスがオーナーの一人でもあるカフェ**〈エル・レイ コーヒーバー〉**は、朝ごはんを食べたい場所。とことんこだわったクリーンな食材とカジュアルな軽食のメニューが自慢で、食べると、体が目覚めるような感覚を覚える。細かく刻んだピーチが入ったグラノーラは絶品。

ラッドロウ・ストリートの北端に、

32

9 *Schiller's* シラーズ

32 オーナーは〈オデオン〉〈バルサザール〉などレストランを多数持つキース・マクナリー。33 ヴィンテージの「サブウェイ・タイル」を使った外観。オープンから10年以上が経ち、老舗の〈カッツ〉に次ぐエリアのランドマーク的存在になった。34 内装に使われている資材の多くは、ヴィンテージ素材や廃材を別の用途に再利用したもの。

131 Rivington St., New York ☎212-260-4555 11:00〜翌1:00(金〜翌3:00) 土10:00〜17:00 18:00〜翌3:00 日10:00〜17:00 18:00〜24:00 無休

7 *Tiny's Giant Sandwich Shop*

タイニーズ・ジャイアント・サンドイッチ・ショップ

23 サンドイッチとソーダ、コーヒーの店。写真は現在のオーナーのデイブ。24 ターキーととろけるチェダー・チーズにスパイシーなチポトレ・マヨネーズを合わせたスパイシー・リザック($9)。朝食のメニューも。25 '90年代から存在しつつ、デイブの手によって生まれ変わった。白地のレンガに重ねた白のロゴが新鮮。26 ロゴやルックは変わらないけれど、オープン当初からのメニューも維持する。27 バリスタの腕はかなりのもの。

129 Rivington St., New York ☎212-228-4919 8:00〜22:00(土日9:00〜) 無休 小さくて大きい。

24

23

26

25

27

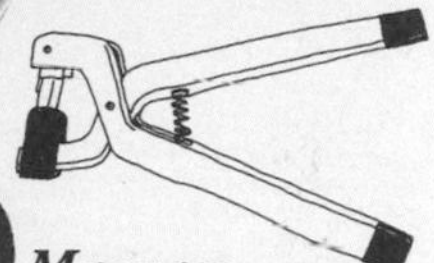

29

28

8 *Maryam Nassir Zadeh*

マリアム・ナッシアー・ザデー

28 オーガニックなジュエリーのセレクト。ディスプレイの仕方もいいね。29〈ACNE〉〈マーザン・チャンチエロ〉など、国内外からコスモポリタンなブランドを厳選している。30 オリジナルのラインナップで特に気になるのが履き心地の良さそうな〈ロベルタ・ヒール〉。肩に力を入れない都会の女性のライフスタイルに合いそう。31 ノーフォーク・ストリートまで歩く理由。

123 Norfolk St., New York ☎212-673-6405 12:00〜20:00 無休 欲しいものが必ず見つかる。

33

34

31

30

長い間放置されていたビルがあった。前オーナーがホテルにしようと買ったけれど、資金繰りに困って建設が途中でストップしたのだという。ビルが売りに出たのを、〈マリタイム・ホテル〉や〈バワリー・ホテル〉のショーン・マクファーソンが買い取り、静かにオープンした。それが**〈ザ・ラッドロウ〉**。マクファーソンが手掛けるホテルは必ずといっていいほど人が集まる場所になる。地上階にはビストロ〈ダーティ・フレンチ〉が併設されている。

ノーフォーク・ストリートの一角、ニューヨーク市立の学校がある辺りは、2003年に**〈シラーズ〉**ができるまでは閑散としたエリアだった。今では〈シラーズ〉の向かいに、絶品のサンドイッチが食べられる**〈タイニーズ〉**があったり、ポートランドの人気タイ・レストラン〈ポク・ポク〉のスタンドができたり、今、食が楽しくなっている。

そして〈タイニーズ〉の並びに位置する**〈マリアム・ナッシアー・ザデー〉**は、風通しのいい心地よい空間に、オリジナル・ブランドと、マリアムがセレクトした国内外のブランドをフィーチャーするセレクトショップ。一点一点、存在感のある服やアクセサリーに眠っていた物欲が目覚める。オーガニックでコスモポリタンな雰囲気は、LA出身のオーナーでデザイナー、マリアムの世界観から生まれたもの。ここもまた、今のニューヨークの空気感を代表しているショップのひとつだ。

Owner's Favorite

イカした店主のお気に入り VOL.10

ブライアン・ホーソーンさん

ミネアポリス出身。音楽学校を卒業後バーテンダーになり、2012年に〈ザ・ウェイランド〉をオープン。その一方で、ジャズのベーシストとしても活躍する。

エセックス・マーケットの中にある、小さなチーズのパラダイス。オーナーのアンがキュレーションするチーズのセレクションが、なんともおいしそう。ギフトボックスや毎月届く定期購買のパッケージもステキ。

魅力的な女性オーナーが営む、国内産メインのチーズショップ。

あるとき、エセックス・マーケットの中に〈サクセルビー・チーズモンガーズ〉を発見して、働いていた女性とチーズの話になった。彼女のチーズについての知識と、ポジティブなオーラに魅力を感じて、〈サクセルビー〉が日常的に立ち寄るスポットになった。しばらく経って、互いに自己紹介をするチャンスがあり、そのとき初めて、その女性が、オーナーのアン・サクセルビーだということを知った。

〈サクセルビー〉が好きなのは、とても小さい店だけれど、丁寧に考えられた国内産のチーズのセレクションだから。パルメジャンチーズ以外は、アメリカで作られた少量生産のチーズばかり。アンの目は確かだと感じている。

ちょっと前までロウワー・イースト・サイドに住んでいた。フォート・グリーンに引っ越した最近でも、このあたりで買い物することがわりと多いんだ。エセックス・マーケットのアンの店に寄って、〈チーキー・サンドイッチズ〉でディン・イエイツが作るサンドイッチを食べる。それが僕のお気に入りのルートなんだ。

Saxelby Cheesemongers

〈サクセルビー・チーズモンガーズ〉Essex Market: 120 Essex St., New York ☎212-228-8204 11:00～19:00（日～18:00）無休　取り扱うチーズの大半が東海岸産。http://saxelbycheese.com

NEW YORK DAYDREAM

本と映画で夢見るNY VOL.02

復活をかけた男の映画。

ニューヨークで長年暮らしていると、どうしても避けてしまいがちの、いわゆる観光スポット。タイムズ・スクエア近辺のブロードウェイなんて、ものすごい人込みで絶対イヤ！　……なんて思いをかき消してくれるのが、この映画『バードマンあるいは（無知がもたらす予期せぬ奇跡）』。老舗のセイント・ジェームズ劇場が舞台で、マイケル・キートン演じる主人公、リーガンが、パンツ一丁でタイムズ・スクエアを駆け抜けるシーンは、とにかく痛快。意外といいじゃん、観光地！

『バードマンあるいは（無知がもたらす予期せぬ奇跡）』(2015年)　アメリカ　かつてスーパーヒーロー〝バードマン〟として有名だったが、今では人気の衰えた俳優のリーガン・トムソン。再起をかけブロードウェイに挑戦するが……。

文／長谷川安曇

A Bite Of The World

NY味覚旅行 VOL.10

1988年のオープン以来、ダウンタウンで一番人気のバインミー・スタンド。

どんなに忙しいときでも満面の笑みで迎えてくれるベテランのスタッフ。

定番はメニューの１番目、ハウス・スペシャル＄５。好みでホットソースを。

アジアの星、バインミー。

サンドイッチの本場アメリカで市民権を得つつある、ベトナムのサンドイッチ、バインミー。専門店もいくつかあって、最近ではバゲットや具材にこだわったグルメ・バインミーもお目見えしている。私が15年通っているのは、ノーホーにある老舗〈サイゴン〉。迷わず頼むのはメニューの１番目、ハウス・スペシャル。スライスした20㎝大のバゲットに自家製パテ、グリルド・ポーク、ハム、きゅうり、人参と大根のなます、それにたっぷりの香菜がぎゅっと詰め込まれている。具材から染み出た甘じょっぱいアジアのフレイバーには、腰のない〝フランス風パン〟がよく合うように思う。もちろんお供はコンデンスミルク入りの甘いコーヒー。昔のUCC缶コーヒーのような懐かしい味がする。

Saigon Vietnamese Sandwich Deli

〈サイゴン・ベトナミーズ・サンドイッチ デリ〉369 Broome St., New York ☎212-219-8341 8:00～19:00 無休

文・写真／松尾由貴

My New York Moment

NY在住写真家のフォトエッセイ　VOL.10

Bryan Derballa

ブライアン・ダーバラ／カリフォルニア出身。スケーターとして旅するうちに写真の世界に。現在はグリーンポイントを拠点に仕事をしながら創作を続けている。http://bryanderballa.com

この街で最初の記憶を再訪する。

飛行機に預けられるだけの荷物と、数か月の家賃に足りるだけの財産を持って西海岸から引っ越してきた。仕事のアテはなく、誰も知らなかった。荷物を引きずって空港からバスでマンハッタンに入り、Ｊ線に乗ってウィリアムズバーグに。女装したプエルトリコ人が「ハニー、助けが必要でしょ」と荷物を運ぶのを手伝ってくれた。ようやく着いたアパートは、靴箱のような大きさだったけど、気にならなかった。世界で一番の都市に来たのがわかっていたから。７年後、友達の家からＪ線の写真を撮った。僕の人生はずいぶん変わった。仕事もあって、タクシーにも乗れる。でもこの街に対する気持ちは変わらない。

& New York

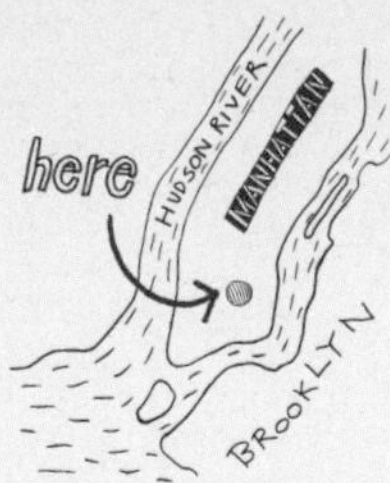

area data

ユニバーシティ・プレイスとパーク・アベニュー、14丁目と17丁目の間に位置する広場。地下鉄4・5・6線とブルックリンに行くL・N・Q・R線が乗り入れる。広場の公園やジョージ・ワシントン像は待ち合わせの場所にも便利。19世紀に建設されて以来、ニューヨーカーが抗議運動をするために集まる場所になった。

Union Square

ユニオン・スクエア

佐久間裕美子の
ウォーキン NY
VOL.11

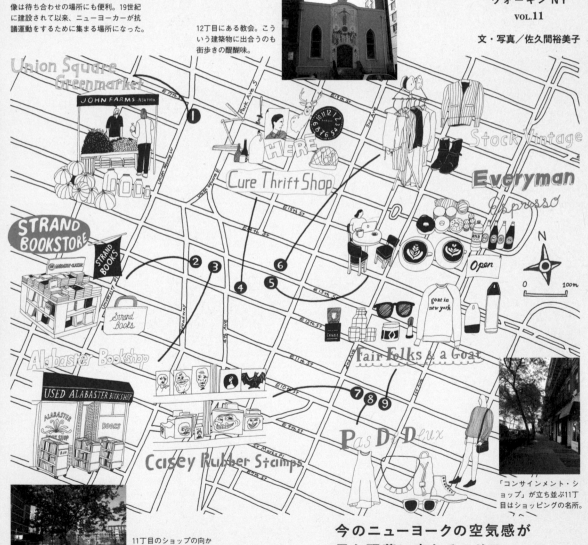

文・写真／佐久間裕美子

12丁目にある教会。こういう建築物に出合うのも街歩きの醍醐味。

「コンサインメント・ショップ」が立ち並ぶ11丁目はショッピングの名所。

11丁目のショップの向かいには運動場が。時が経っても変わらぬ風景。

今のニューヨークの空気感が
最も顕著に表れるエリア。

6

5

2

1

2 *STRAND BOOKSTORE*

ストランド・ブックストア

7

5 1927年から営業を続ける真の老舗。ニューヨーカーに愛され続けるインディペンデント書店。キャッチフレーズは〝本18マイル分（約28.9㎞）〟。6「レア＆コレクタブル」を扱う3階にはエレベーターで。ゆったりした時間が流れる。7 ロゴ入りトートバッグは、NY土産のロングセラー。行くたびに新しいデザインに出合える。8 3階には「サイン入り」だけを集めたテーブルが。初版やレアな写真集なども。9 地上階のレジの向かいにはNY関連グッズのコーナーもある。

828 Broadway, New York ☎212-473-1452 9:30〜22:30（日11:00〜）無休　軒先には安売りカートが。

9

8

1 *Union Square Greenmarket*

ユニオン・スクエア・グリーンマーケット

3

1 色の美しい季節の野菜がどっさりと並ぶ。2 はちみつ、ジャム、パン、ワインなど近郊の生産者から直接購入できる。3 ユニオン・スクエアの西側の一角から始まったマーケットだが、近年にどんどん拡大し、ベンダーの数も増えている。4 週の4日間営業している。一番活気がある朝一番に訪れると、いかにもシェフという人たちの買い物姿を見ることも。

E 17th St., New York ☎212-788-7476 8:00〜18:00 火木日休　ベンダーは日々変わる。

4

Alabaster Bookshop 3

アラバスター・ブックショップ

10〈ストランド〉からフォース・アベニューに曲がるとこの店が。1960年代から徐々に消えていった「ブック・ロウ（本の径）」の唯一の生き残り。店頭にはセール棚が。11 アート本、写真集のセレクションが充実。12 なんの秩序もなくわさっと積み上げられている感じも好感がもてる。

122 4th Ave., New York ☎212-982-3550 10:00〜22:00（日11:00〜）無休　閉店が遅いのも嬉しい。

12

11

10

ユニオン・スクエアには、〝人が集まる場所〟というイメージがある。たとえば戦争が始まろうとするとき、丸腰のマイノリティが警官に撃たれたとき、抗議運動はほぼ必ずユニオン・スクエアから始まる。グリーンマーケットがあって、インディーズの大型書店〈ストランド〉がある。この広場は私にとって、「市民の自由」や「インディペンデンス」を象徴する場所なのだ。

人が集まり、声をあげる、自由と独立の象徴の地。

ユニオン・スクエアの**グリーンマーケット**は、現在のオーガニックブームが始まるずっと前の、1976年から営業を続けている。ニューヨーク州北部や近隣の州から、農家や作り手が、新鮮な生鮮食品、ジャムやワインを持ってやって来る。今ではすっかり定着して、近年のブームで出店の数は増える一方だ。決して安いとはいえないけれど、野菜を物色する有名シェフの姿を見かけるにつけ、生鮮食品は産地直送が一番なのだと確信する。

ユニオン・スクエアから南に数ブロックだけ存在するフォース・アベニューは、かつて「ブック・ロウ」との愛称で呼ばれていたという。残念ながら今、その面影はほとんどない。未だに営業を続けているのは**〈ストランド・ブックストア〉**と**〈アラバスター・ブックショップ〉**だけだ。〈アラバスター〉は小さい

Stock Vintage
ストック・ヴィンテージ

21 オーナーのメリッサがセレクトするアメリカンカジュアル、ワークウエア、レザーグッズが充実。22 レジ横にあるアンティークのポストカード。時代の流れを感じさせる。23 オープンしたのは2006年だが、ずっとそこに存在していたかのような佇まい。24 チマヨ織のベスト他、スペシャルなアイテムがたくさん。ヴィンテージのベルトのディスプレイは圧巻。

143 E 13th St., New York ☎212-505-2505 11:00〜18:00（土日12:00〜）無休　センス抜群の品揃え。

21

Cure Thrift Shop
キュア・スリフト・ショップ

13 古着からアンティークの絵画、インテリア雑貨まで幅広いセレクション。14 全体的なクオリティは高く、物量が多いので宝探しの楽しみがある。15 家具の価格もリーズナブル。ロケハンに出かけたついでに椅子のセットを買ってしまった。16 エントランス付近のキュートなディスプレイ。ホウキをラックに使ったり、インテリアの参考になりそうなヒントもたくさん。

111 E 12th St., New York ☎212-505-7467 11:00〜20:00 無休　利益は未成年の糖尿病研究に。

13

14

23

22

15

16

24

17

Everyman Espresso
エブリマン・エスプレッソ

17 手描きのイラストがかわいいオリジナルグッズ。オーナー２人組（どちらも名前はサム）のコーヒーへの愛情が感じられる。18 ブルックリンのドーナツショップ〈ドー〉から仕入れているペストリー。パッションフルーツ味はぜひ試してほしい。19 オフ・ブロードウェイ劇場の協会〈CSC〉とスペースを共有する。20 ケメックス、エアロプレスと好みによって淹れ方を指定できる。

136 E 13th St., New York ☎212-533-0524 7:00〜20:00（月〜19:00 土8:00〜）日8:00〜19:00 無休　エスプレッソドリンクのバリエーションはピカイチ。

20

19

18

けれど、アート本や写真集との出合いが多い。時間に余裕があるときは〈ストランド〉に行く。店先のセール棚を見るだけのこともあるけれど、店に入る時間があるときは、地上階の「お薦め」をチェックして、２階の写真集のコーナーをうろつく。もっと時間があるときは３階に行く。エレベーターに乗らないとたどりつかない３階のことを知らない人もけっこう多い。レア本を中心に扱う３階には、ゆったりした時間が流れている。本を買いすぎてしまったときには、ここで発送の手配ができる（海外にも発送してくれる）。

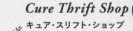

ヴィンテージショップと本屋を目当てに。

本屋をチェックしてイースト・ヴィレッジ方向に歩を進める。東に折れる定番の道は13丁目だ。だから最近まで気が付かなかった店がある。**〈キュア・スリフト・ショップ〉**だ。スリフト（節約）ショップというと、ガラクタの山をかきわける、というイメージがある。けれどここはディスプレイもセレクションも気が利いている。値付けも良心的だ。

13丁目が好きな理由は**〈ストック・ヴィンテージ〉**にある。以前、デザイナーの鈴木大器さんに教えてもらった店なのだけれど、ワークウエアやカジュアルウエアが丁寧にセレクトされている。モノは決して多くない。けれど一枚一枚がスペシャルだ。この日もつい〈リー〉のデニムのジャケットを買ってしまった。こ

Casey Rubber Stamps

7

ケーシー・ラバー・スタンプス

25 レディメイドもあるけれど、電子ファイルがあればカスタムオーダーにも応じてくれる。スタンプは店の奥でハンドメイドで作られる。オーダーはメールでも受け付け可。キャッシュオンリー。**26** レトロなイラストがキュート。季節ものからちょっとしたイラストまで。**27** 狭い店内の壁をぎっしりと埋め尽くすスタンプの数々。インクパッドの色も豊富。**28** '98年から営業を続けているエリアの名所。**29** 一見グロテスクだがキュートな表情のスタンプがいいね。

322 E 11th St., New York ☎917-669-4151 13:00～20:00（月火14:00～）日14:30～19:00 無休

27

25

28

29

26

Pas De Deux

8

パ・ド・ドゥ

30 隣にあるメンズのセレクトショップ〈オディン〉によるウィメンズのブティック。建物のオリジナルの構造を生かしたインテリア。**31** イースト・ヴィレッジらしいプチサイズの店構え。**32** ハンサム・ウーマンという言葉を思い出させるスイートすぎないセレクションがいい。

328 E 11th St., New York ☎212-475-0075 12:00～20:00（日～19:00）無休　ちょい辛好きに。

EAST VILLAGE

33

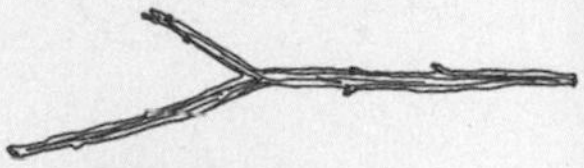

Fair Folks & a Goat

9

フェア・フォークス&ア・ゴート

33, 34 ティーサロン、デザインカンパニー、B&Bとビジネス形態を変えてきたオーロラとアンソニーのカップルがオープンしたショップ。「日常をちょっとだけスペシャルにしてくれる商品を集めています」とオーロラ。**35** やっぱりローカルのアーティストによるハンドメイドの商品に目が行く。**36** 月＄25の会費を払うと、1か月コーヒー飲み放題というユニークなシステムを採用。

330 E 11th St., New York ☎212-420-7900 7:00～20:00（土日9:00～）無休

34

31

30

36

35

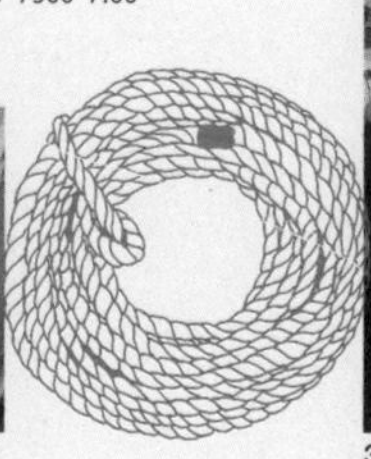

32

こに来るとほぼ必ず**〈エブリマン・エスプレッソ〉**に寄る。2人のバリスタが起業したこのコーヒーショップは、洒落た店ではないけれど、コーヒーのクオリティは確実に高い。手淹れ、フレンチプレス、エスプレッソドリンクと、選択肢が多いのもコーヒーマニアには嬉しいところ。

　ユニオン・スクエアとイースト・ヴィレッジの間にもう一つ好きなブロックがある。11丁目、アベニューでいうとファーストとセカンドの間だ。老舗のイタリアン・ペストリーの店〈ベニエロズ〉があって、客が持ち寄る中古品を売る、いわゆる「コンサインメント・ショップ」が並ぶ。一番のお目当ては、スタンプの専門店**〈ケーシー・ラバー・スタンプス〉**。今では複数の店舗を持つメンズウエアのセレクトショップの雄〈オディン〉もこのブロックから生まれたが、隣にはウィメンズの系列店**〈パ・ド・ドゥ〉**がある。トムボーイとまではいかなくても、辛口でシャープなスタイルが好きな女性にはお薦めだ。このブロックの一番のニューカマーは**〈フェア・フォークス&ア・ゴート〉**。「フェアな人々とヤギ」という、ちょっと変わった名前の雑貨の店。ローカルのアーティストの作品もあれば、北欧のブランドの商品もある。エスプレッソのスタンドもあって、オーナーが常連とおしゃべりしているような、気軽でフレンドリーな店。こういう店が今のニューヨークの空気感を象徴しているような気がする。

Owner's Favorite

イカした店主のお気に入り VOL.11

アン・サクセルビーさん

アメリカ産のチーズ専門店として知られるエセックス・マーケット内〈サクセルビー・チーズモンガーズ〉オーナー。NYの有名レストランにチーズを卸す。

焼きたてのペストリーとおいしいコーヒーで〈ブヴェット〉の一日は始まる。インテリアもプレゼンテーションも隅々までジョディ（写真右下）の目が行き届いている。地元に愛される隠れ家のようなビストロ。

ウェスト・ヴィレッジで人気の満点フレンチビストロ。

レストラン〈ブヴェット〉のジョディとは、彼女が手がけた前のレストランからチーズの注文を受けたことをきっかけに知り合った。〈ブヴェット〉がオープンしたときに、また声をかけてくれて、私はチーズを、うちの夫が肉類を供給しているのだけれど、同時に夫婦でプライベートでもレストランを訪れるように。

ジョディは、歯に衣着せぬはっきりした性格で、でも実はとても優しいし、ユーモアが好き。誰に対しても正直に接する、フォーマルじゃない性格だから信用できる。

〈ブヴェット〉は、インテリアからメニュー、食器の一つ一つに至るまで、ジョディの魂が入った店。エスプレッソ一杯を飲んでいても、どれだけの注意が払われているかわかる。

ジョディの料理の中で特に好きなのは「ペスト」（バジルソース）。バジル、にんにく、松の実にパルメザンチーズとオリーブオイルを使うのは普通だけれど、ジョディは生ハムの端も入れる。リッチでパンチのあるバジルソースは中毒性が高くて、とにかくおいしいの。

Buvette

〈ブヴェット〉42 Grove St., New York ☎212-255-3590 8:00〜翌2:00（土日9:00〜）無休　パートナーのリタと共同で新しい店〈ヴィア・カロータ〉を出した。パリに支店も。http://newyork.ilovebuvette.com

NEW YORK DAYDREAM

本と映画で夢見るNY VOL.03

ダークな人間模様を描く。

出版されたのは1964年だが、今もなお書店の売れ筋コーナーに平積みされている、カルトクラシック。ブルックリンを舞台にドラッグや性、暴力などのタブーを鮮烈に描いたヒューバート・セルビーJrの小説。ストレートのヴィニーに片思いする女装したホモセクシャルのジョージェット、うっぷんを晴らすかのように兵隊をリンチする若者、集団暴行される娼婦、トゥラララ……。今では想像もつかないほど、危険に満ちた当時の物語。やっぱりブルックリンってハードコア！

『ブルックリン最終出口』ヒューバート・セルビーJr　タイトルは高速道路の交通標識から。ブルックリンの低所得者用の厚生住宅や酒場で、退屈しきった若者たちが繰り広げるバイオレンス、セックスとLGBT、喧噪と孤独を描く。

文／長谷川安曇

A Bite Of The World

NY味覚旅行 VOL.11

〈Paradise〉というピザスタンドの一角にある、噂のペルシャ料理スタンド。

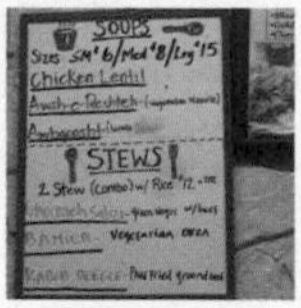

壁に掛けられたホワイトボードに手書きされた日替わりのメニュー。

２種類のシチューが選べるコンボはペルシアン・バスマティライス付き$12。

ペルシャごはんと“ゆかり”。

ペルシャ絨毯、ペルシャ猫……。ペルシャと聞いて浮かぶ、私の乏しいボキャブラリーには、どこか優雅なイメージがついてまわる。妄想を膨らませながら、NYでも珍しいペルシャ料理の店へ向かった。住所を頼りに辿り着いたピザスタンドの、隅っこに突如現れるペルシャ料理のカウンター。日替わりのメニューからオクラのシチューと牛挽き肉のキャバブを頼んだ。トマトベースの酸味の効いたシチューは、アフガニスタンの野菜カレーに似ているし、キャバブはスパイスを抜いたトルコのキョフテのよう。上にふりかけられた紫色の“スマーク”は、まるで赤紫蘇の“ゆかり”！中東料理特有のクミンの香りがしない、とてもマイルドな味だ。“ゆかり”の風味に親近感さえ覚えた。

Taste of Persia at Pizza Paradise

〈テイスト・オブ・ペルシア〉12 West 18th St., New York ☎212-488-0020 12:00〜19:30（日〜19:00）無休

文・写真／松尾由貴

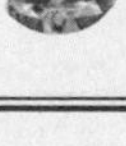

My New York Moment

NY在住写真家のフォトエッセイ　VOL.11

Forest Woodward

フォレスト・ウッドワード／ノース・キャロライナ出身。世界中を旅しながらスキーや登山など冒険の写真を、雑誌やアウトドアブランドのために撮っている。www.forestwoodward.com

心が粉々に砕かれた寂しい夜に。

マンハッタン・ブリッジ下のスケート・パーク。3月だったと思う。2014年のこと。前の日に別れを体験した。心が粉々にされたというほどではなかったけれど、別れの後には普通な程度には痛みを感じていた。マンハッタン中を歩いて探していた。何か大きいものを。空っぽの気持ちを表現したくて。コンクリートだらけ。騒音だらけ。そしてたくさんの人。メランコリーな感情にふけらないように、自分でも気がつかないうちに、そして自分の感情に冷淡になるために、何かを企てていた。最終的に、ここにたどり着いた。クールなキッズたちが行ったり来たりするなか、僕はそこに座っていた。十分、寂しい気持ちを感じながら。

& New York

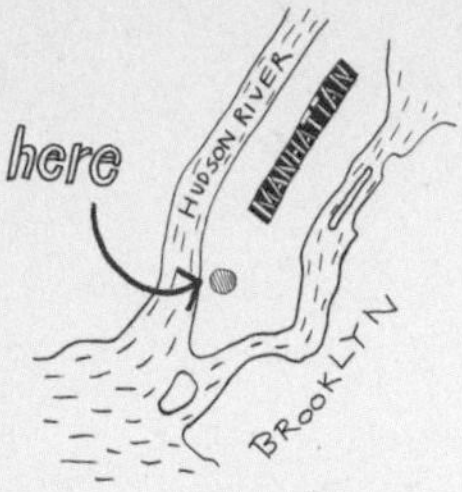

SoHo

ソーホー

佐久間裕美子の
ウォーキンNY
VOL.12

文・写真／佐久間裕美子

area data

地名の由来は「サウス・オブ・ハウストン」。北はハウストン、南はカナル・ストリート。ブロードウェイから西、シックス・アベニュー辺りまでを指す。かつてはアーティストの街だったのが、いつしかショッピングの中心地に。N・R線のプリンス・ストリート駅かC・E線のスプリング・ストリート駅が便利。

サリバン・ストリートのセント・アンソニー・オブ・パデュラ教会。

すっかり街の風景の一部になったシティバイクがここの路上にも。

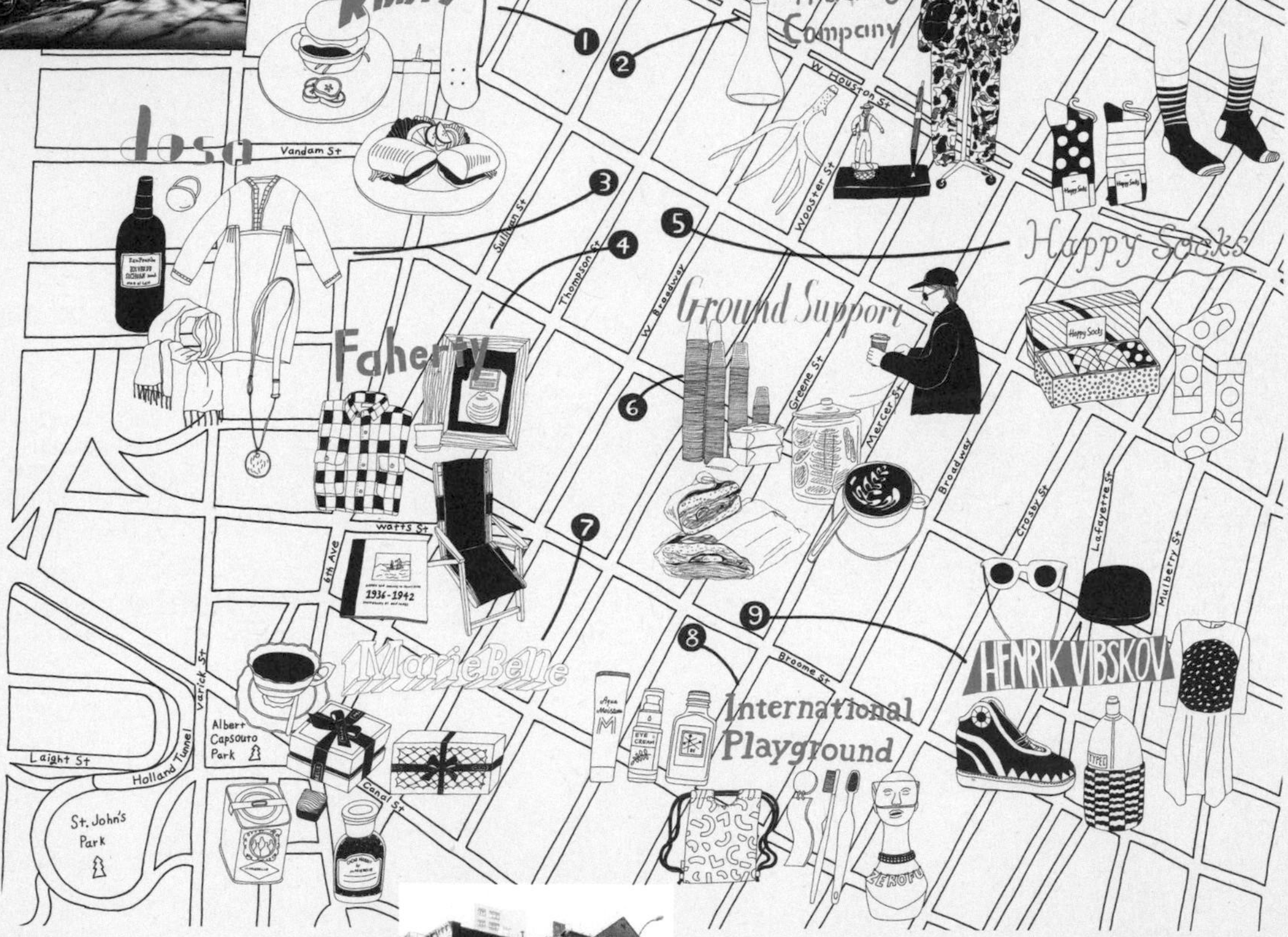

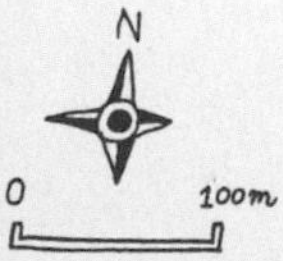

低層のブラウンストーンとロフト式のビルが並ぶハウストンの南側。

観光地化されたと思いきや、エネルギーが循環するエリア。

Palmer Trading Company

2

パーマー・トレーディング・カンパニー

6 国内での生産にこだわりながら、それをマーケティングに使いたくないというストイックなデザイナーのウィリー。アーティスト、ティピ・シーブスの作品の前で。**7** ウィリーがいれば、愛犬ショーティも店に。**8** すべて自分たちで作ったという店舗。**9** トップスは女性にも着られるサイズ感。家具はマサチューセッツ州から持ってきた。

137 Sullivan St., New York ☎646-360-4557 12:00～20:00 無休　ベターライフを探すのに最適。

6

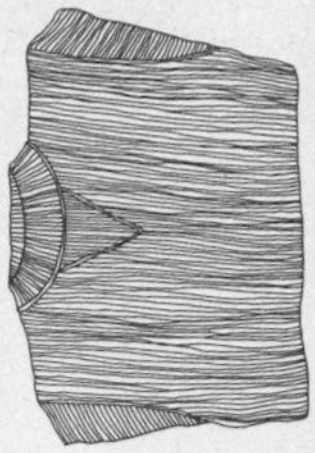

8

7

9

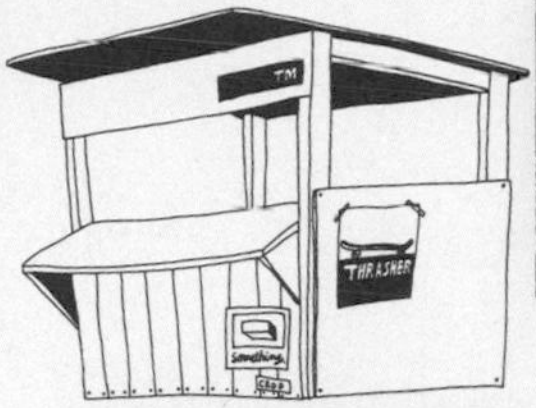

RBBTS

1

ラビッツ

1 アーティストたちが作ったスケートボードが壁を埋め尽くすインテリア。ハードとほっこりが絶妙に同居する。**2** 店名はオーナーが日本で訪ねたウサギ園からつけたという「伝説」が。この店はウィリーが教えてくれた。**3** 狭くて親密な空間。**4** ウサギをモチーフにしたスケートボード。**5** 自慢の「ザ・ジャーク」はジャマイカ風のスパイシー・チキンにキャベツがたっぷり（$10、フライは$4）。

142 Sullivan St., New York ☎212-228-5141 9:00～18:00 無休　アートな雰囲気の中で軽食を。

1

2

3

4

5

dosa

3

ドーサ

10 デザイナーのクリスティーナがこだわるのは、着心地のいいテキスタイルと、"自分"がないと着こなせない独特のスタイル。**11** 店内には、独特の薫りと空気が流れる。LAの店にも行きたい！　**12** オールシーズン着られるものが多いが、冬場はほっこりしたニットも登場。

107 Thompson St., New York ☎212-431-1733 11:00～19:00 日休

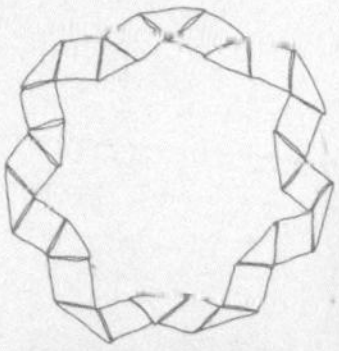

10

12

11

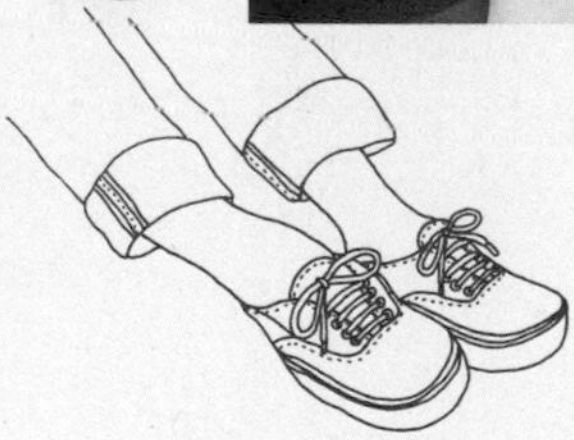

ソーホーといえば、かつてのダウンタウン・カルチャーの中心でありながら、近年はすっかり観光地化した街だ。人の多さについ足が遠ざかりがちだけれど、それでも西側にはネイバーフッドらしさが残っていて、また個人経営の店が輝きを見せるようになっている。こうやっていつもエネルギーが循環するのがこの街の底力なんだとあらためて感じる。

ソーホーらしい底力が、やっぱり魅力のエリア。

きっかけは〈**パーマー・トレーディング・カンパニー**〉だったかもしれない。ラルフ・ローレンで生産を担当するうちに、もっと身近な場所でモノを作りたくなったというデザイナーのウィリーの店を訪ねたときに、しばらく足が遠のいていたエリアに、新しい輝きが感じられた。この店は、ウィリーがパートナーのデイブと別荘を持つマサチューセッツ州パーマーの周辺エリアで見つけてきた家具や廃材を使って、自分たちの手を動かして作った店だ。メンズウエアのデザイナーということにはなっているけれど、実は女性のファンも多い。自分も、シャツや部屋着を購入してきた。商品はすべてアメリカ製。ブルックリンの地ビールも飲める（お願いすれば）。

ウィリーが教えてくれたのが〈**ラビッツ**〉だ。アーティストのグループが運営するレストランは、バーガーとサンドイッチ、終日楽しめる軽

19

14

13

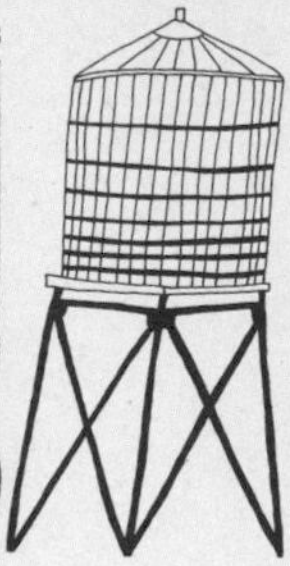

6 *Ground Support*

グランド・サポート

19 この辺りでは数少ないコーヒーの店。外にベンチがあるのも人気の秘密か。**20** いつ訪れても混んでいる店内。**21** 意外とファンが多いのがパニーニ風サンドイッチのメニュー。写真はフリー・レンジ（放牧）のターキーとハム、グリエールチーズにピクルスが入ったキューバ風「ザ・キューバン」（$10）。**22** ここで使われるコーヒー豆は〈インテリゲンツィア〉のもの。

399 W Broadway, New York ☎212-219-8722 7:00〜20:00（土日8:00〜）無休　席は共同テーブル。

4 *Faherty*

ファリティ

13 ソーホーに〝ビーチまわりの生活の楽しみ〟というコンセプトを持ち込んだのが新鮮。**14** 店内は海の家のようなインテリア。2013年にスタートしたブランドは、スイムウエアとカジュアルウエアの展開。日本産のテキスタイルも使う。**15** 一年中夏の気持ちを忘れたくないあなたに。**16** こういう工夫、インテリアのヒントになりそう。

102 Thompson St., New York ☎877-745-8994 日〜水12:00〜19:00（木金土〜20:00）無休

15

16

17

21

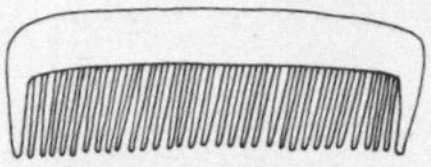

20

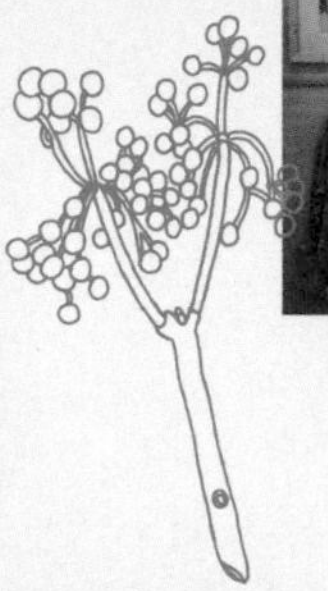

5 *Happy Socks*

ハッピー・ソックス

17 靴下のデザインと同様、ハッピーでポップな、楽しさ満載の店先。**18** ニューヨークでも取り扱い店は多いけど、オンリーショップはここだけ。文字通りハッピーな気持ちにしてくれる靴下がわんさか。

436 W Broadway, New York ☎212-966-9692 11:00〜19:00 無休　日本の旗艦店は渋谷パルコに。

22

18

食メニューが自慢。ユーモアたっぷりのメニューには、「現金が好き、クレジットカードも受け取ります」と書いてある。アートの助けになるのだ！　現金を持っていこう。

サリバン・ストリートと平行するトンプソン・ストリートには**〈ドーサ〉**がある。LAを拠点にデザイナーのクリスティーナ・キムが運営するブランドは、日本でも馴染みが深いかもしれない。クリスティーナの世界観をふんだんに表現したLAの店に比べてぐっと小さいけれど、彼女の表現を体感できる場所は貴重だ。

双子の兄弟マイクとアレックスの手によって2013年に生まれた**〈ファリティ〉**は、スイムウエアのブランドからライフスタイルブランドに進化中。水着にはリサイクルボトルからの素材を使ったり、レーベルには日本製のファブリックを使ったり、サステイナビリティを重視したコンフォートウエアといったところか。触り心地のいいニットやダンガリーシャツに食指が動く。

言わずと知れた**〈ハッピー・ソックス〉**は、スウェーデンの靴下ブランド。気の利いた靴下って見つかりそうで見つからない。ソーホーを訪れたついでにのぞくと楽しい。

ソーホーの中心地には、ちょっとコーヒーが飲める場所が意外と少ないなか**〈グランド・サポート〉**は頼りになる存在。〈インテリゲンツィア〉の豆を使い、パニーニ風のサンドイッチに定評がある。カフェの外で飼い主を待つ犬たちの写真がアッ

SOHO

29

28

7 *MarieBelle*

マリベル

23

23 一番ベーシックなのは、アズテック65%のホットチョコレート（スモール$５）。ひと口飲めば、ほっと体が温まります。バリエーションも豊富。**24** コーヒーバーの後ろに広がるカフェは知る人ぞ知る場所。意外なことに軽食のメニューもあるのだ。**25** 馴染み深いとはいえ、いつ見てもため息が出るほど美しくて細かいチョコレートのデザイン。**26** 選ぶのに困るほどのお土産の宝庫。**27** ブルーム・ストリートらしい重厚なロフトの入り口。

484 Broome St., New York ☎212-925-6999 11:00〜19:00（金土日〜20:00） 無休

24

27

25

26

8 *International Playground*

インターナショナル・プレイグラウンド

30

31

28 ロウワー・イースト・サイドからソーホーらしい天井の高いロフトスペースに移転してステップアップした感がある。**29** ブルックリンの〈アイ・スティル・ラブ・ユーNYC〉のアクセサリー。**30** アムステルダムの〈メリーミー・ジミーボール〉のルックを入り口付近にフィーチャー。**31** 靴のディスプレイがユニーク。〈インテンショナリー・ブランク〉〈ミスタ〉〈アトリエ71〉など。

463 Broome St., New York ☎212-228-2700 11:00〜19:00（日12:00〜） 無休　ネット通販あり。

9 *HENRIK VIBSKOV*

ヘンリック・ヴィブスコフ

33

32 ポップなグラフィックの使い方が独特な、楽しいデザイン。**33** デザイナーのヘンリックがインスタレーションを表現方法とするアーティストでもあるだけに、壁の使い方が独特。最新の作品は鉛筆がモチーフ。

456 Broome St., New York ☎212-219-3950 11:00〜19:00 日12:00〜18:00 無休　デンマーク発。

32

プされるフェイスブックページがキュートなのだ。

日本でもオープンしてしまったので、今さら珍しくもないかもしれないけれど、カフェが仕事場化する昨今、ゆっくり誰かと話をしたいときには**〈マリベル〉**のカフェがおすすめだ。ホットチョコレートは、フレーバーや濃さにバリエーションがあるし、コーヒーやお茶も飲める。サンドイッチなどの軽食のメニューも侮れない。ついでにお土産問題だって解決してしまう。

〈インターナショナル・プレイグラウンド〉は、今のニューヨークで一番エッジィで、いきのいい若手デザイナーを数多くフィーチャー。オーナーのジョニーとバージニアの、音楽やアートに対するアンテナの張り方を見ると、セレクトショップと呼ぶより、カルチャーショップと呼ぶのが正しいのかもしれない。

〈ヘンリック・ヴィブスコフ〉は、デンマーク人デザイナーの店。インスタレーションをメディアとするアーティストでもあり、ミュージシャンでもあるヘンリックの世界観をふんだんに体感できる店。ヨーロッパからやってくる商品は、正直高い気もしないではないけれど、店自体がインスタレーションぽくなっているのは気に入っている。

この辺り独特のロフト式ビルが立ち並ぶ街並みに、馴染みのある店と新しい店が混ざって今のソーホーをつくっている。ソーホーは健在だと、あらためて気がつかされた。

Owner's Favorite

イカした店主のお気に入り VOL.12

ジョディ・ウィリアムスさん

ニューヨークとパリに〈ブヴェット〉の店舗を持つほか、最近〈イ・ソディ〉のシェフでありパートナーのリタと〈ヴィア・カロータ〉をオープンした。

古くから営業する本屋の多くが消え去ってしまった中、インディーズの店がまだ数多く残るウェスト・ヴィレッジで、営業を続けている秀逸な店。ニューヨークに縁の深いタイトルが多い。右がオーナーのトビー。

上手に時間をつぶせるし、季節の贈り物選びにもピッタリ。

私のレストラン〈ブヴェット〉からすぐのところに、〈スリー・ライブス・アンド・カンパニー〉という本屋がある。1968年から営業を続けている、エリアにとっては大切な本屋。うちの店は予約を取らないから、混雑時にはお客さんたちが名前を言って外で待ってくれることがあるのだけれど、〈スリー・ライブス～〉で時間をつぶすお客さんがとても多い。私が出した料理本をウィンドーに飾ってくれているし、オーナーのトビーは店に来てくれることもある。〈スリー・ライブス～〉のスタッフは、本に対する情熱があり、知識も豊富。素晴らしい人たちが働いている場所。私が特に好きなのは、ニューヨークの歴史に特化したコーナー。パリからのお客さんにとっても、季節のプレゼントを探すにも、ぴったりの場所。ウェスト・ヴィレッジには個人経営の店が多いから、ヘルスストアだろうと、ティーショップだろうと、店同士がサポートし合おうという意識が強いし、お客さんからのサポートもとても強い。コミュニティの一部でいられることがここの最大の魅力。

Three Lives & Company

〈スリー・ライブス・アンド・カンパニー〉154 West 10th St., New York ☎212-741-2069 11:30～20:30 月火12:00～20:00 日12:00～19:00 無休　著名作家の朗読会なども開催されている。

NEW YORK DAYDREAM

本と映画で夢見るNY VOL.04

元ギャングが行き着く先は。

貧乏学生時代に5年間住んだ愛しのスパニッシュ・ハーレム。マンハッタン内の危険地域として有名だけど、多数のギャング映画に出演しているアル・パチーノが人気らしく、よく理髪店や商店でポスターが張ってあるのを見たっけ。『カリートの道』はそんなスパニッシュ・ハーレムが舞台の映画。パチーノ演じるカリートが経営するナイトクラブ、125丁目の駅からグランドセントラル駅までのチェイシングシーンなど、ニューヨークを舞台にした危険で切ない見どころがいっぱいだ。

『カリートの道』(1993年) アメリカ　ブライアン・デ・パルマ監督作品。刑務所から出所したカリートは、ナイトクラブ経営で得た金を持ってギャングの世界と縁を切り、恋人とバハマに逃げようと試みるが……。ゴールデングローブ賞2部門の候補にも。

文／長谷川安曇

A Bite Of The World

NY味覚旅行 VOL.12

外観はどこにでもありそうな、メキシカン・グローサリーショップ。

メキシコの食材が所狭しと並ぶ店内奥に現れる、3卓だけのレストラン。

チョリソー、ポークのタコス各$2.50。奥はメキシコ風チキンのタマレス$1.49。

氷点下でタコスを食べる、の巻。

LAから来た人が「NYのメキシカンは美味しくない」と言うのを目にするのは、あまり気持ちのよいものではない。メキシコ人に言われるならまだしも、NYのメキシカンを美味しいと思っている人に失礼だし、だったら東に来てまでわざわざ食べなきゃいいのにとさえ思う。だが待てよ、私はNYの寿司やラーメンについて、通ぶって偉そうなことを言っていないか？〝本場〟にはそこでしか味わえない美味しさがあると思う。だけど、異郷の地で限られた素材や調味料、そして高い家賃と闘いながら作られている料理を誰もけなすことはできない。タコスを氷点下10℃の雪降る中で食べるなんて、メキシコでもLAでもできないのだから。これもNYでしか食べられない特別な味だと思う。

Mexico 2000 Grocery

〈メキシコ 2000 グローサリー〉367-A Broadway, Brooklyn ☎718-782-3797 8:00～22:30 無休

文・写真／松尾由貴

My New York Moment

NY在住写真家のフォトエッセイ　VOL.12

Chris Mottalini

クリス・モッタリーニ／ニューヨーク州北部在住。建築写真やスチルライフを専門とする。2013年にはポール・ランドルフが設計し、取り壊された家屋の写真集を出版。www.mottalini.com

非現実感がもたらす、リアリスト的な風景。

グリーンポイントは、1855年にブルックリンの一部になってからも長い間、船舶業界やポーランド移民を中心に労働者階級が暮らす、北の孤立したエリアだった。これは、ある寒くて明るい冬の週末に挑戦した、このあたりの家を撮るプロジェクトの一部で、タウンハウス２軒が隣接する風景を撮った写真だ。冬独特の午後の辛辣な日差しと暗い影が家の色とディテールをあぶり出し、写真にリアリスト的な表情を与えていた。家を現実から引き離したくて、人やエリアの特徴はあえて撮らなかった。日々、歩きながら目にする風景だけど、非現実的に感じたかった。だからこの写真は自分が暮らす地域の写真であり、同時にそうではない。

& New York

佐久間裕美子の
ウォーキンNY
VOL.13

文・写真／佐久間裕美子

Red Hook

レッド・フック

area data

ブルックリンのコブルヒルの南、ゴワナスの西側。2008年に〈イケア〉がオープンして一躍注目のエリアに。地下鉄だとF・G線でスミス9ストリーツ駅で降りて結構な距離を歩くしかないが、バスなら61線、57線で行ける。2012年のハリケーンで深刻なダメージを被ったが、復興が進むにつれ再び店が増えている。

〈ザ・レッド・フック・ワイナリー〉前に広がる水辺。気持ちがいい。

ハリケーンから復興して、再び注目の「食」のエリアに。

海に近いエリアなだけに港として栄えていた頃の名残がたくさん。

スペースに余裕があるからアーティストのスタジオに最適なエリア。

6

5

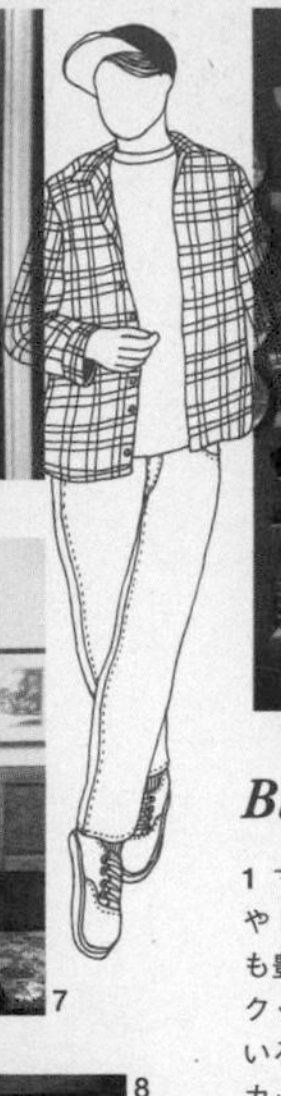

2

1

3

7

4

8

Fort Defiance ②

フォート・デファイアンス

5 レトロなサインが可愛い。**6** アメリカ独立戦争のときに実在した要塞の名前にちなんで名付けられた。バーの頭上には、独立軍が要塞からマンハッタンに渡ることで敗北を免れたのだという逸話が書いてある。**7** 昼間に訪れると地元の住民が本を読んだりしている。**8** このブルーの色と名前にまずはぐっときた。オーナーは、ライターでバーテンダーだったのだとか。

365 Van Brunt St., Brooklyn ☎347 453-6672 10:00〜24:00（火〜15:00 土日9:00〜） 無休

Baked ベイクド ①

1 マジックが起きる厨房の手前にあったスイーツやトッピング類。**2** お持ち帰りできるおみやげ類も豊富。オーナーのレナートとマットが手がけたクッキング・ブックも。**3, 4** スイーツ類はいろいろあるけれど、いつも気になるのは日替わりのカップケーキ。何があるのか尋ねてみてね。ランチ時なら甘くないサヴォイ系のトーストも捨てがたい。ベイクド（焼いた）ものならお任せ。

359 Van Brunt St., Brooklyn ☎718-222-0345 7:00〜19:00（土日8:00〜） 無休　甘い香りがいっぱい。

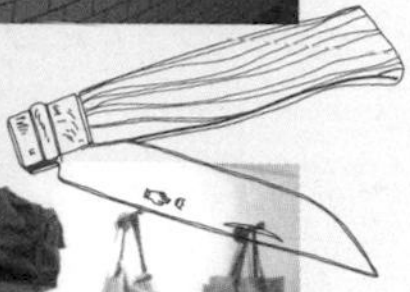

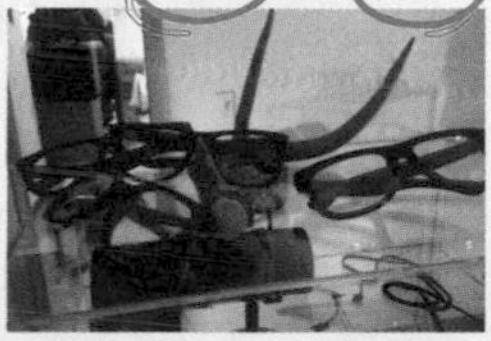
10

9

12

11

KEMPTON & Co. ③

ケンプトン＆コー

9 オリジナルのバッグはバリエーション豊富でたっぷり入るサイズが充実。デザインはショップ奥のアトリエで。平日はフィオナ本人に会えるかも。**10** フランスで作られる木製のメガネ・フレームが新鮮だった（$230）。**11** オリジナルのスエードのポーチは各$95。ブレスレットは各$38。**12** フィオナがセレクトする近隣のメーカー、ヨーロッパからの商品をミックス。

392 Van Brunt St., Brooklyn ☎718-596-2225 11:00〜18:00 無休　目抜き通りでも目立つ店。

'80年代には「麻薬の首都」などと不名誉なニックネームがついたこともあったという。クリエイティブ人口がウィリアムズバーグの家賃の高騰ではじき出されるようになるのと並行してだんだん人が集まるようになった。と思えば、ハリケーン・サンディで深刻な水害を受けた。けれど地元民たちの地道な復興運動で今また盛り上がっている。交通の便は悪いし、ちょっと遠い。でもだからこそ遠足気分で出かけるのが楽しい。足を延ばしてよかった、と行くたびに思わせてくれる場所。

少しの不便さも楽しい、元気を取り戻した街。

レッド・フックはいってみれば食べ物の街だ。食べたいものがありすぎて、そうはいっても胃袋の許容量には限りがあるから、いつも悶々とする。何年前だろうか、レッド・フックに〈イケア〉ができたのをきっかけに初めて散策に出かけたときに、**〈ベイクド〉**を発見して盛り上がったのをよく覚えている。日替わりのカップケーキは甘すぎないし、「ウーピーズ」と呼ばれるサンドイッチ状のスイーツも最高だ。本店が成功してトライベッカに支店ができた今だって、この店で食べるスイーツは格別な喜び。

他の地域からわざわざ食べるために出かけてくる人は多いけれど、レッド・フックの住民に聞くと必ず名前が挙がるのが、レストラン**〈フォ**

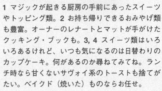

RED HOOK

18 17 13

19

WOODEN SLEEPERS 5

ウッデン・スリーパーズ

17 ヴァン・ブラント・ストリートに最近加わった新顔。**18** カレッジのスウェットやマグカップ類も充実。**19** 子供の頃から古いもののほうが新しいものより好きで、就職したものの夢を諦めきれずに店をオープンしたというブライアン。「マニアにも初心者にも喜んでもらえるような品揃えを心がけている」。**20** 圧巻の革靴セレクション。特に古いもの（'40〜'50年代）はサイズも小さめ。

416 Van Brunt St., Brooklyn ☎718-643-0802 土11:00〜19:00 日12:00〜18:00(月〜金は要アポイントメント)

15 14

20

Foxy & Winston 4

フォクシー＆ウィンストン

13 オーナーのジェーンがデザインするレタープレスのカード類。誕生日カード、Thank Youカードもいいけれど、中身がブランクのものが気が利いている。バラ売りは＄4.50、セットなら６枚で＄12。**14** 子供部屋に可愛い〈ルースト〉のアニマル・ヘッド各種。**15** 出産祝いにぴったりなオリジナルのスワドル（おくるみ）は＄30。**16** ジェーンが選ぶピローやステーショナリーも。

392 Van Brunt St., Brooklyn ☎718-928-4855 12:00〜18:00(月火は要アポイントメント) 無休

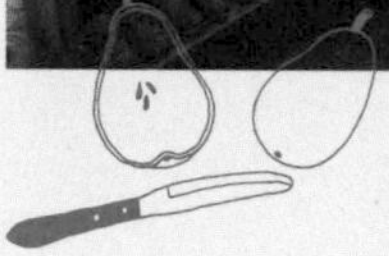

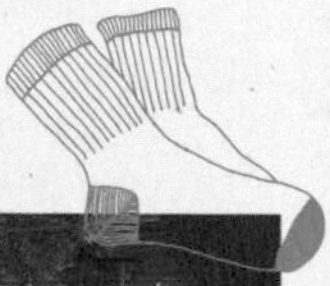

6 *Brooklyn Crab*

ブルックリン・クラブ

21 絶品の「アトランティック・クラブ・ロール」。他にも冷たいバージョン「ジョナス・クラブ・ロール」や揚げたオイスターのサンドイッチ「ポーボーイ」もオススメ。**22** ２階のグループ席。夏場はデッキが気持ちいい。**23** 個人的にはバーで海を眺めながら食べるのが好き。**24** ジャンクな雰囲気が可愛いエントランス。夏場の繁忙期には、地上階のバーもオープン。

24 Reed St., Brooklyn ☎718-643-2722 11:30〜22:00(土〜23:00) 月火休 ※要確認

22

21

24

23

16

ート・デファイアンス〉。オイスターがあって、バーガーがある、おいしいビールとカクテルがある。それだけといえば、まったくそれだけなのだけれど、それだけあれば他には何もいらない気もする。なんていったって、独立戦争時にこの辺りに作られた「抵抗の要塞」にちなんだ名前がいいじゃないですか。

　おいしい店ができればショップも増える。目抜き通りのヴァン・ブラント・ストリートには、イギリス人女性が営む店が2つ並ぶ。フィオナ・ケンプトンが革製品をデザインする**〈ケンプトン&コー〉**と、オリジナルのステーショナリーやインテリアグッズを扱うジェーン・バックの**〈フォクシー&ウィンストン〉**。フィオナのデザインするバッグは、シンプルだけど機能性が高く、フェミニンすぎないアクティブな女性に似合う。ジェーンの店は、出産祝いや子供へのギフト、オリジナルのカード類が充実。このあたりからレッド・フックは始まる。

　2014年にオープンした**〈ウッデン・スリーパーズ〉**は、アウトドア、ミリタリー寄りのヴィンテージの店。サイズが小さいものが多いからユニセックスを意識しているのかと思いきや、「'40年代、'50年代の男性たちは体が小さかったからね」とオーナーのブライアン。なるほど。

　レッド・フックに来たらぜひとも海産物を食べたい。ならば**〈ブルックリン・クラブ〉**へ。せっかくハドソン川とアッパー・ベイが合流する

The Red Hook Winery 8

ザ・レッド・フック・ワイナリー

29 ヴァン・ダイク・ストリートからバーネル・ストリートの埠頭を歩いていくと看板のない入り口がある。**30** 近隣地域で穫れたブドウをここで醸造する。1日に1度ツアーも開催。**31** 東海岸のブドウなのに赤白ロゼのバリエーションが驚くほどある。テイスティングは、＄8で3種類の、＄12で6種類のワインを試せる。**32** 倉庫のスペースにワイン樽がごろごろ。

Pier 41 325A 175-204 Van Dyke St., Brooklyn ☎347-689-2432 11:00〜17:00（日12:00〜） 無休

30

29

26

25

7 *Steve's AUTHENTIC Key Lime Pie*

スティーブス・オーセンティック・キーライム・パイ

25 レッド・フックというエリアに根付いたショップならではの掲示板。地元の人たちに愛されているのがわかる。**26** 閉店時間は日没のタイミングとともに変わる。必ず食べたい人は電話を！ **27** コーヒーもない、売っているのはパイだけ。それでも人気があるのはこのシンプルな味のせい。**28** 切り盛りするのはスティーブとベロニカの夫婦。真の家族オペレーションだ。

185 Van Dyke St., Brooklyn ☎718-858-5333 金土日は営業。冬期11:00〜18:00（夏期〜日没）

31

27

28

32

33

totally Bruce 9

トータリー・ブルース

33 街のはずれの倉庫のようなスペース。エントランスを入るとリビングルームのような雰囲気。**34** どこのヴィンテージショップにでもあるようなものは置いてない。独特のセレクション。**35** 「アンティーク」のサインを追っていくと、駐車場の中にこんな入り口が。**36** 週末オンリーのショップだけれど、インスタグラムのアカウント（@totallybruce）で商品をチェックできる！

5 Sigourney St., Brooklyn ☎716-444-0009 11:00〜18:00（月〜木は要アポイントメント） 不定休

36

35

34

所なのだ。ロブスターもいいけれど、カニのサンドイッチ「クラブ・ロール」を食べられる場所はニューヨークでも少ない。海を眺めながら、ゆでたカニの身にバターをとろりとかけて食べる「アトランティック・クラブ・ロール」は最高だ。

いろいろ選べるレッド・フックの海の幸。

レッド・フックといえばクラブとロブスター、そしてキーライム・パイ。なぜかというと、スティーブの店**〈スティーブス・オーセンティック・キーライム・パイ〉**があるから。レッド・フックがヒップになるずっと前からこの地域でがんばっている。営業時間は「日没まで」と適当だ。縁があれば食べられる。そのゆるさも素敵なのだ。

水辺まで行ったら**〈ザ・レッド・フック・ワイナリー〉**にも行きたい。ニューヨーク州北部や近郊で穫れたブドウをここで醸造している。東海岸のワインは、西海岸に比べて弱いというイメージがあるけれど、イメージなんてあてにならない。

ちょっぴりほろ酔い気分で歩を進める、今回の最終地点は、エリアのはずれにあるアンティーク・ショップ**〈トータリー・ブルース〉**。歩く価値あるよと言われたけれど、納得の別世界が広がる。

日中から夜までフレイバーいっぱいのレッド・フック、海のそばだけに天気が命。空が青い日を狙って、ゆっくり散策しよう。

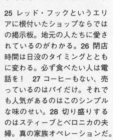

Owner's Favorite

イカした店主のお気に入り　VOL.13

トビー・コックスさん

カリフォルニア出身。ブックセラー、出版社勤務を経て、2001年に3人組のオーナーからヴィレッジの本屋〈スリー・ライブス＆カンパニー〉を引き継いだ。

1923年にギリシャ人移民のジョージによって創業された超老舗。ウェスト・ヴィレッジの店舗の他に、グランド・セントラル駅内のマーケットにも出店。ブルックリンの工場でも購入可。右がオーナーのアンソニー。

罪とデカダンスを味わえる、ヴィレッジ住民に愛される味。

2001年に、前のオーナーたちからウェスト・ヴィレッジの本屋を引き継いで、わりと早い段階で、この店が地域の住民たちにとってコミュニティの中心になっていることに気がついた。毎日、いろんな人がやってきて、このエリアについて、いろんな話をしてくれる。そうやってヴィレッジのことをたくさん学んだ。お店にやってくる人のおしゃべりから学んだことのひとつに〈ライラック・チョコレーツ〉があった。

だから、店を引き継いで最初のバレンタイン・デーに、ガールフレンドにプレゼントするチョコレートを買うために〈ライラック・チョコレーツ〉の長い列に並んだ。以来、このチョコレティアが、ギフトやおみやげを買うお気に入りの場所になった。お気に入りは爽やかな後味の「フレンチ・ミント・バー」、それから店舗に置かれている「ブロークン・バー」。チョコを作る際に余る、ごつごつとした塊を口に入れて噛み砕くと、驚くほどの満足感がある。罪とデカダンスの味だ。〈ライラック・チョコレーツ〉は住民に愛される、エリアの人気者なんだ。

Li-Lac Chocolates

〈ライラック・チョコレーツ〉40 8th Ave., New York ☎212-924-2280　11:00～20:00（金土～21:00 日～19:00）無休　フルーツや他のクッキーとミックスしたバリエーションが自慢。

NEW YORK DAYDREAM

本と映画で夢見るNY　VOL.05

映画よりもダークなクラシック。

名前のない猫、家具のない部屋、名刺の住所は「旅行中」。たくさんの男たちに囲まれて、自由気ままに暮らす、美しく若いホリー・ゴライトリー。題名は「ティファニーで朝食を取るご身分」の意で、ホリーは精神的に不安になると、5番街のティファニーに出かけ、素敵な店内で気分を落ち着かせる。ホリーが非常階段の上に座り、ギターを弾いて歌う姿は誰にとっても憧れだけど、本当は非常時にしか出てはいけない階段。ホリーを真似て、もちろん大家に怒られました。

『ティファニーで朝食を』トルーマン・カポーティ著／村上春樹訳（新潮文庫）　第二次大戦中にアッパー・イーストサイドで華やかに暮らすホリー・ゴライトリー。階上に住み小説家を目指す「僕」は彼女に淡い恋心を抱くが……。

文／長谷川安曇

A Bite Of The World

NY味覚旅行　VOL.13

すべての動きが計算し尽くされ、道具や食材が配置された2畳ほどのキッチン。

一口で食べられるように薄くスライスされたキムパプ。切り口も鮮やか！

甘辛く煮込んだ牛肉の細切れを巻いたビーフ・キムパプ＄6.99。玄米もあり。

キムパプが〝海苔巻き〟を食う！

実は、日本の海苔巻きがあまり得意ではない。たまご、かんぴょう、椎茸、でんぶ……全体的に甘めに味付けされた具と酢飯の関係が、お酒は弱いけど辛党の私にはちょっとだけ甘ったるい。しかし、韓国の甘くない海苔巻きはかなり好きだ。たくあん、人参、ごぼう、ほうれん草、それに牛細切れの煮つけ。決め手は白米に混ぜられた香ばしい胡麻油。ぽりぽりと歯ごたえのよいたくあんもかなりいい仕事をしている。

何でも、日韓の交流が盛んになり始めた19世紀末に、日本の「海苔巻き」が韓国へ渡り、独自のアレンジを加えながら根付いたのがキムパプだそう（かつては〝ノリマキ〟と呼ばれていた）。私にとってキムパプは、もはやオリジナルを超えた、大好きな巻物なのだ！

E-Mo

〈イーモ〉2 West 32nd St., New York ☎212-594-1466 9:00～20:00（土～19:00）日休

文・写真／松尾由貴

My New York Moment

NY在住写真家のフォトエッセイ　VOL.13

Andreas Laszlo Konrath

アンドレアス・ラズロ・コンラス／イギリス出身。ファッション誌を中心に活動。ジョッシュの写真集は『Anthony No Name At Gmail Dot Com』として発表。www.andreaslaszlokonrath.com

西海岸に引っ越した友達との時間。

ジョッシュとは、2008年7月にロウワー・イーストサイドで出会った。すぐに友達になり、一晩中スケートの話をした。その後の5年間、長い時間を一緒に過ごした。この写真は2013年に、グリーンポイントのフェリー乗降場のそばで撮った。あまりの暑さにスケートはせずに、マンハッタンを見ながら話をした。ここでの生活にどれだけフラストレーションを感じようと、ブルックリンの水場から見える摩天楼が、この街の素晴らしさを思い出させてくれる。その数か月後、彼はカリフォルニアに引っ越した。友達が去るのは悲しい。半年かけてネガを整理し、写真集を出した。それが、僕らが過ごした時間とのフェアウェルになった。

& New York

Walk In NYC

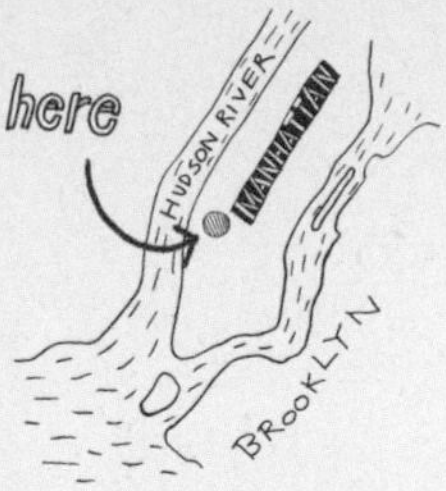

West Village

ウェスト・ヴィレッジ

area data

南北は14丁目とハウストンの間、東西はシックス・アベニューからハドソン川まで。瀟洒なタウンハウスが多く、NYでも最も地価が高いエリアのひとつで、セレブの住人が多い一方、歴史的にセックスショップや安酒を出すバーも多い。今回紹介するエリアの最寄りは１線のクリストファー・ストリート駅。

佐久間裕美子の
ウォーキンNY

VOL.14

文・写真／佐久間裕美子

ショッピングエリアの中心、ブリーカー・ストリートにはこんな公園が。

瀟洒なセレブエリアから、親しみやすい店までいろいろ。

低層のタウンハウスが中心だから、裏通りの静けさが気持ちいい。

かつての馬小屋が駐車場になっているところにエリアの古さを感じる。

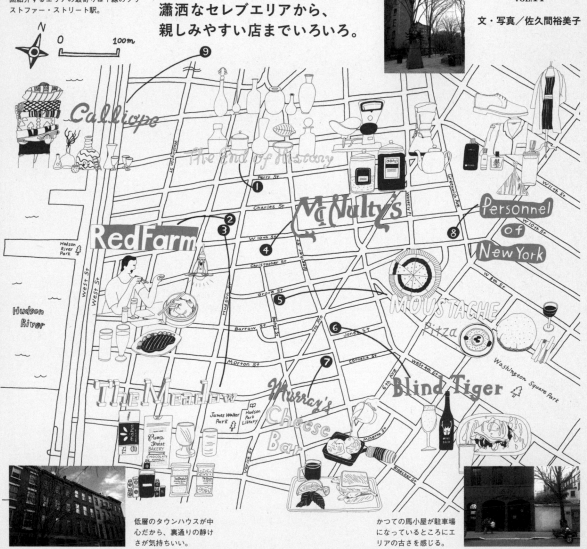

RedFarm ②
レッドファーム

4 最近流行りの「コミューナル・テーブル」。知らない人とも隣り合わせでわいわい食べるのです。5 予約は受けないので要注意。地下は系列の〈デコイ〉。北京ダックとカクテルの店。6 何度行っても必ず頼んでしまう「チキン・サラダ」。新鮮な野菜が多数、それも大量に入っている。7 狭い店なりの工夫を凝らした清潔なインテリア。

529 Hudson St., New York ☎212-792-9700 ブランチ11:00～14:30(土日のみ) ディナー17:00～23:45(日～23:00) 無休

6

5

The End of History ①
ジ・エンド・オブ・ヒストリー

1 花瓶や照明器具を中心に、ヨーロッパ、アメリカのヴィンテージの陶器系商品をセレクト。たまに日本のものも交じっていたりする。2 なんとなく色ごとにグループ分けされているけれど、個人的に気になるのは、黄色やブルー系のアンチ・フェミニン色。3 ショーウィンドーも商品でぎっしり。

548 Hudson St., New York ☎212-647-7598 12:00～19:00(土日～18:00) 無休　価格帯は＄100台から上は超高級品まで。この界隈でも一番の古株。

7

3

2

8

10

12

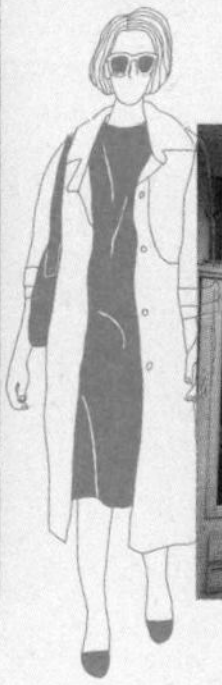

11

The Meadow ③
ザ・メドウ

8 ピンクの物体は塩を固めたもの。板状の塩を火の上にのせて、魚や肉を調理するんだそう。すぐにでもやりたくなる。グラスの形状のものはカクテル用。9 店の奥にはビター専門カウンターが。10 ニューヨークのビルの屋上で作っている、とか、オレゴンのどこそこで、とひとつひとつに曰くのある塩たち。塩にもこれだけ香りがあるのか！と発見。お土産にいかが？ 11 外からは何の店だかよくわからない。12 細長い店内、左側はチョコレートのコーナー。バリエーション豊富。

523 Hudson St., New York ☎212-645-4633 11:00～21:00(金土～22:00) 無休　塩とビターの専門店。

9

ウェスト・ヴィレッジはわかりづらい。マンハッタンの碁盤の目が急に斜めになるし、ストリートは数字じゃない。フラフラ歩いているとどこにいるのかわからなくなることもある。けれど低層のタウンハウスが並ぶ静かなストリートは目的のないひとり歩きにはぴったりで、道に迷うことすら楽しく感じさせてくれる。いまだに「知っている」とはいえないウェスト・ヴィレッジだけど、トレンドに流されないのがいい。

いい飲食店が増えて、イキのいいエリアに。

ハドソン・ストリートにある和食レストラン〈エン・ブラッセリー〉のオーナー、レイカ・アレキサンダーと仲良くなってから、ウェスト・ヴィレッジに足を向けることが急に増えて、新しい発見を楽しめるようになった。長い間、同じ佇まいのような印象のウェスト・ヴィレッジだけど、最近はハドソン・ストリートが気になっている。かつては何もなかったのに、10年ほど前に〈エン〉がオープンしてから、いいレストランが増えて活気が出てきた。

'90年代からずっと営業を続けているという、ヴィンテージの陶器ショップ〈ジ・エンド・オブ・ヒストリー〉は、デザイナーのアナ・スイもお気に入りだという、陶器の楽しさを教えてくれる店。ヨーロッパやアジアのカラフルな花瓶やランプがずらりと並び、手が届く価格のものは

4 *McNulty's*
マクナルティーズ

13 微妙なほど暗い店内。レトロを気取ってるわけじゃないのに古めかしいのがいいのだ。14 コーヒー豆も、大量な種類のあるお茶も、量り売り。店員のおじいさんにサービスを頼んでみる。みんなとってもフレンドリー。15 19世紀から営業しているなんて！ このままずっとがんばってほしい。16 お茶より秤に目がいってしまう。古い道具ならではの佇まい。17 おしゃれ系のティーショップでティーバッグを見かけることがぐっと減った最近、こんなことも新鮮。

109 Christopher St., New York ☎212-242-5351 10:00〜21:00 日13:00〜19:00 無休

13

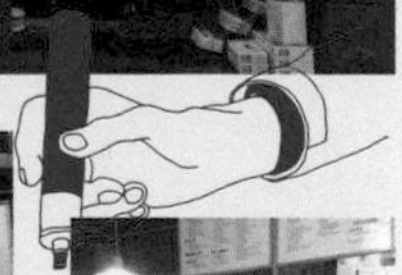

15

14

17

16

19

18

5 *MOUSTACHE Pitza*
マスタッシュ・ピッツァ

18「ウージー」はチキンの入った炒めたライスをパイ生地で包んだものに、クリームソースをかけて食べる料理。19 住宅エリア、ベッドフォード・ストリートに、静かに佇む。20 行ったら必ず食べたいフムス。ふくらんだパンにつけて食べる。フムスのなすの味にオリーブオイルとオリーブが絶妙。21 タウンハウスの古さを生かしただけの、なんでもないインテリアが好き。

90 Bedford St., New York ☎212-229-2220 12:00〜24:00 無休　キャッシュオンリーなので気をつけて。

21

20

6 *Blind Tiger*
ブラインド・タイガー

22 セブンス・アベニューから東側は老舗が多い。クラフトビールが流行する前、ビールマニアの友達が教えてくれたビールの聖地。知らなかったら立ち止まらないくらいローキーなのがいい。23 寒い冬に飲みたくなるのはアップルサイダー。24 その日飲めるものが黒板に書いてある。

281 Bleecker St., New York ☎212-462-4682 11:00〜翌4:00 無休　老舗のクラフトビールのバー。

24

23

22

少ないとはいえ、うっとり棚を眺めるだけでも楽しいショップだ。**〈ザ・メドウ〉**は、塩、チョコ、ビター（薬草や香草類に漬け込んで作る、苦味のあるアルコール飲料のこと）の専門店。塩ひとつとっても、これだけ種類があるとは、ニューヨーカーのグルメ化もここまできたかとうなってしまう。同じくハドソン・ストリートのレストラン**〈レッドファーム〉**は、初めて食べたときに恋に落ちて以来、ずっと通っている。地産地消の中華というだけでは、この店の魅力は伝えられない。素材が新鮮なだけでこれだけ変わるのか！という中華。北京ダックはぜひ試してほしいけれど、時間が遅いと品切れなときも多いので、要注意。

ウェスト・ヴィレッジの魅力は、時が止まったような佇まい。セックスショップからダイブ・バーまで、老舗の店が多いのがエリアの魅力に見えるのは、次から次へとランドマーク的な店が閉店する今だから、なおさらだ。**〈マクナルティーズ〉**が開店したのは、なんと1895年。コーヒーとお茶を両方扱っているのもいいし、薄暗い店内でお茶やコーヒーに詳しいおじいさんたちが接客してくれるのも、グルメ化が進んだ今だからこそさらに新鮮なのだ、と勝手なことを思ってみる。どうせ買うなら、サポートしたい店がいい。**〈マスタッシュ・ピッツァ〉**は、もう何年前から通っているかわからないくらい。窯のある中東料理の、知る人ぞ知る名店で、忘れてしまうこ

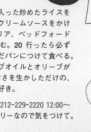

30

31

7

Murray's Cheese Bar

マレーズ・チーズ・バー

25 チーズとミートの「フライト」と呼ばれるプレート。チーズと肉の組み合わせは、5種類で＄24、8種類で＄36。自分で選んでもいいし、選んでもらうのもあり。**26** 赤と白を基調にした内装。堅苦しくないのがいい。**27** アートの類いだってチーズと関係があるものなのがキュートであります。**28** オリジナルのチーズケーキが人気のデザート。**29** 南部風のビスケットにチェダーチーズをとろりとかける。絶品。最近はアメリカ産のチーズも増えている。

264 Bleecker St., New York ☎646-476-8882 ランチ12:00〜15:00(火〜金のみ) ブランチ11:00〜15:30(土日のみ) ディナー17:00〜24:00(日月火〜22:00) 無休

26

25

27

28

29

8

Personnel of New York

パーソネル・オブ・ニューヨーク

30 フェミニンすぎず、トムボーイ風でもない。オーガニック系というべきか、コンフォート系というべきか。**31**〈マラ・ホフマン〉の水着を一年中取り扱っている。避寒に出かけるときにいいね。**32** 戦前に建てられたランドマーク建築「クリストファー1」の地階。ファッション業界人やクリエイターが多く住んでいる。**33** キッチン用品やキャンドル類のセレクションが気が利いている。

9 Greenwich Ave., New York ☎212-924-0604 11:00〜20:00 日12:00〜19:00 無休

32

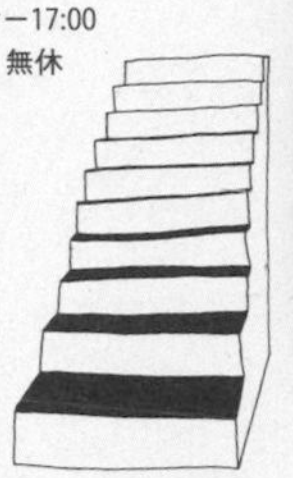

33

West Village

36

9

Calliope

カリオペ

34 ゆとりある居住空間のようなディスプレイがいい。**35** 地価の高いウェスト・ヴィレッジにこういう店ができたことが今という時代を物語っている。**36**〈クリス・アール〉のマグをはじめ、〈サー／マダム〉のスプーンなど食器類が並ぶ一角。ひとつひとつ確かめたい。

349 W 12th St., New York ☎646-517-2948 11:00〜19:00(月火要予約、日〜18:00) 無休

34

35

photo : Julia Robb

とも多いけれど、たまに思い出して足を向けたときに、まだあることを確認するとうれしくなる。**〈ブラインド・タイガー〉**は、クラフトビールのマニアたちの聖地のような場所だ。店構えも、内装もとりたててイケているわけじゃない。でも、ビール愛にあふれる常連さんやスタッフがつくる雰囲気が温かい、愛すべきハッピーバーだ。

エリアの老舗といえば、〈ブラインド・タイガー〉がビールの造り手を呼んでイベントを催すときにチーズを提供する**〈マレーズ・チーズ・バー〉**を忘れてはいけない。1940年にオープン以来、チーズの殿堂として知られる〈マレーズ〉のチーズを、食事として楽しめる店だ。チーズ屋が運営するレストランがアタリでないわけがない！

ショッピングなら、今いいのは**〈パーソネル・オブ・ニューヨーク〉**。ニューヨークの作り手と日本やヨーロッパの商品をミックスした生活雑貨の展開がいいし、ウィメンズは、フェミニンすぎず辛口すぎないセレクションが気が利いている。

このあたり一帯で、これから発展しそうなのは、ハドソン・ストリートよりも西側の一帯。例えばウェスト・ヴィレッジには、ベンチュラ夫妻というオーナーが営むハウスウエアの店**〈カリオペ〉**がある。作り手と密接な関係を持ちながら、ワークショップを開催するなど、訪れる客との関係やコミュニティの築き方に好感が持てる、本当にいい店だ。

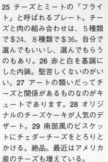

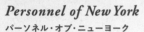

Owner's Favorite

イカした店主のお気に入り VOL.14

アンソニー・チローニさん

カリフォルニア出身。マーケティングの仕事を経て、1923年創業のマンハッタン最古のチョコレートショップ〈ライラック・チョコレーツ〉の店主に。

〈ライラック・チョコレーツ〉のスタッフがみんな通うという近所の一軒。ウェスト・ヴィレッジらしい寛げる空間と新鮮な食材を使ったニューアメリカンが自慢の店。右がオーナーのマイケル・スチュワート。

ウェスト・ヴィレッジに溶け込む ゆるい雰囲気とうまいバーガー。

僕のチョコレートショップは、〈タバーン・オン・ジェーン〉の目と鼻の先にある。オーナーのマイケル・スチュワートは、うちによくチョコレートを買いに来てくれるし、僕もここ15年ほどは、月に1度の頻度で、彼のレストランに通っている。仕事の帰りに、店のスタッフと行くことが多いけれど、友達との待ち合わせをすることもある。ディナーに行くこともあるけれど、ビールの種類が豊富だから、飲むだけのこともある。ランチにも行く。

ステーキやサンドイッチ、パスタもいいけれど、僕がいつもオーダーするのは、「オリジナル・タバーン・バーガー」。焼き具合をミディアムレアでお願いすると、ジューシーで肉汁が口の中で溢れ出す。〈タバーン・オン・ジェーン〉の肉は新鮮で、クオリティの高さがよくわかる。店のリラックスした雰囲気も、好きな理由のひとつ。ウェスト・ヴィレッジの店ならではの地元感が漂っていて、気取ったところ、表面的なところがまったくない。近所の常連さんたちが多いのも落ち着く理由かもしれないね。

Tavern on Jane

〈タバーン・オン・ジェーン〉31 8th Ave., New York ☎212-675-2526 10:00～翌1:00 土日11:00～翌1:00（バー～翌4:00）無休　クラシックなメニューにシェフの解釈を加えた快適な店。

NEW YORK DAYDREAM

本と映画で夢見るNY VOL.06

シュールなスリラー映画。

いつものように車に乗って出勤すると、なぜか街は静まりかえっている。普段はとても混雑しているタイムズ・スクエアにも誰もいない。不安に駆られ、車を降りて走って、走って、叫んだところで夢から醒める……。日曜日の朝、タイムズ・スクエアを90分借り切りにして、撮影された冒頭のシーン。通常は人と車でごった返している場所なのに、無人だと不気味。眠らない街を90分、通行止めにできるんだ！と感心しつつ、それができるのは主演のスター、トム・クルーズだけだと納得。

『バニラ・スカイ』(2001年）アメリカ　出版界の若き実力者、デヴィッドはソフィアに恋をするが、交通事故で3週間の昏睡状態から醒めると、ハンサムな顔が台無しに……。1997年のスペイン映画『オープン・ユア・アイズ』のリメイク作品。

文／長谷川安曇

A Bite Of The World

NY味覚旅行 VOL.14

壁に描かれた黄金色の神秘的なパゴダ（寺院）と、その横に奉られた仏像。

シャキシャキの歯ごたえがたまらないスプリング・ジンジャーサラダ＄8.50。

ビーフカレー＄14.95、ラングーン・ナイトマーケットヌードル＄10.95。

会いたい人に会いに、〝ビルマ食堂へ〟。

ミャンマー（旧ビルマ）人の母と日本人の父を持つ友人がいた。それまで『ビルマの竪琴』が唯一のリンクだった国が身近になったのは、彼に出会ってから。当時イースト・ヴィレッジにあった〝ビルマ料理店〟で、よくハングアウトした。数年前、その友人は突然この世を去った。ショックでその店へもしばらく行けなかった。時間が経ち、彼に会いたい想いでその店へ向かうと、すでに別の店になっていた。先週ふと彼のことを思い出し検索してみると、アッパー・イーストにその店を見つけた。同じオーナーが店を再開していたのだ。彼に二度と会うことはできないけれど、一緒に囲んだ料理を食べることができる。香りや味の記憶は鮮明だ。彼との思い出はこれからもずっと色褪せない。

Cafe Mingala

〈カフェ・ミンガラ〉1393 Second Ave., New York ☎212-744-8008 11:30～22:30（金土～23:30）無休

文・写真／松尾由貴

My New York Moment

NY在住写真家のフォトエッセイ　VOL.14

Brian Zbichorski

ブライアン・ズビコースキ／ミルウォーキー出身。ノリータのショップ〈UNIS〉で働きながら、写真家としてのキャリアを追求、現在、新作の写真集の準備中。http://brianzbichorski.tumblr.com

ある晴れた日のジェームス・ジーン。

ウィスコンシン州で従兄弟の影響で写真を始めた。ニューヨークに引っ越す前は、アメリカ人と風景の写真を撮りながら、中西部や南部を旅した。けれど最終的には写真とファッション、文化に溺れたくてこの街に来た。いまだに写真の大半はMAMIYAの7iiで撮っている。最近、エリザベス・ストリートのショットで働くジェームス・ジーンを撮った。その日、僕もジェームスも、〈DeerDana〉のシャツを着ていた。フランネルシャツが腰を覆っている様子が気に入ったし、ジャン・ミシェル・バスキアのシャツがニューヨーク的だと思ったから。襟のピンがジェームスのキャラクターをよく表している。もうすぐ夏がやって来る。

& New York

area data

30丁目より南、14丁目よりも北、６番街とハドソン川の間。開発が西に進むと同時にどんどん拡大した。ここで紹介したエリアは、Ｃ・Ｅ線の23丁目駅、またはＡ・Ｃ・Ｅ・Ｌ線の14丁目駅が便利。かつてはゲイのエリアというイメージが強かったが、いつしかギャラリー街として定着し、さらに再開発が進んでいる。

Chelsea

チェルシー

改めて面白くなってきた、
再開発が進むエリア。

佐久間裕美子の
ウォーキン NY
VOL.15

文・写真／佐久間裕美子

14丁目を越えて北に進むと、見通しが俄然よくなるハイライン。

９番街と14丁目の〈アップルストア〉の前には憩いの三角州が。

〈ザ・ハイライン・ホテル〉の向かいには驚くほど美しい学校が。

10

9

4

3

1

Printed Matter, Inc.

プリンテッド・マター・インク

9 モーリツィオ・カテランのZINEはその名も『トイレットペーパー』。**10** 店名は「印刷物」の意。このなかにはトートバッグやポスターも含まれる。**11** レジ横には手のひらに収まるようなサイズの出版物やグッズが。アート・ラバーへのおみやげにいいかも。**12** ステッカーやフライヤーを貼るのが伝統になっている。創立はなんと1976年。

231 11th Ave., New York ☎212-925-0325 11:00〜19:00（木金〜20:00）日休　ブックフェアも開催。

11

12

Empire Diner

エンパイア・ダイナー

1 レトロな食堂車を思わせる。**2** '40年代にオープンし、一度は閉まって'76年に再オープン、チェルシーのアイコンになったけれど2010年に閉店。2014年、新しいオーナーのもとで営業を再開。**3** 朝食にもおすすめ。**4** 現在のメニューで、個人的なお気に入りは野菜たっぷりの「コブ・サラダ」。

210 10th Ave., New York ☎212-596-7523 7:30〜16:30（土日11:00〜16:00）17:00〜23:00（木金土〜24:00 日〜22:00）無休

2

ANTHOM アンソム

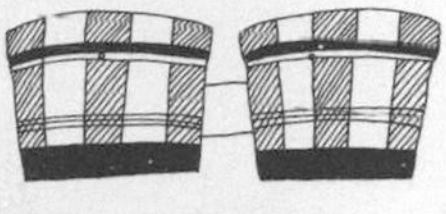

5 カラフルなジュエリーはニューヨークのブランド〈AEA〉のもの。**6** オーナーの一人アシュリー。自分の店を開くのが夢だったそう。独自のセレクションを心がけている。**7** 簡素な入り口だけどセンスが光る。**8** 地域のギャラリー街としてのアイデンティティに敬意を払い、ギャラリーのような空間作りを心がけたというシンプルなインテリア。

197 10th Ave., New York ☎877-747-1776 11:00〜20:00（日〜18:00）無休　'16年夏に近所に移転予定。

5

8

7

6

NYに来たばかりの頃は、チェルシーといえば、23丁目近辺の6番街、7番街あたりという印象を持っていた。けれど10番街、11番街のアートシーンが大きくなり、さらにハイラインができてからは再開発が進み、チェルシーはどんどん西に動いたような気さえする。気づけば〈チェルシー・マーケット〉がどんどんグルメな場所になり、10番街も訪れるたびに表情を変える。チェルシーの良さは、アートのみならず。

アート以外のビジネスがぽつぽつと増える。

チェルシーを訪れる理由で圧倒的に多いのは、星の数ほどもあるギャラリーでのショーだ。特にここ数年は、〈ペース〉や〈デビッド・ズワーナー〉〈ガゴシアン〉でミュージアムも顔負けのショーを見ることができるようになった。水曜や木曜の夜、オープニングをはしごするときは、23丁目で地下鉄を降りて西に歩く。ランドマーク建築の〈ロンドン・テラス〉、一時閉店して放置されていた**〈エンパイア・ダイナー〉**など時の流れに耐えてきた名所が多く目に入ってくる一方で、10番街を南に見ると大型コンドミニアムの建設が何軒も同時に起きていて、ニューヨークという場所の歴史と商業のせめぎ合いを感じさせる。

立ち入り禁止の高架線路だったハイラインが公園としてオープンするまで、このあたりは昼間は静かで、

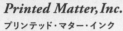

21

4

192 BOOKS

192 ブックス

13 入りづらい本屋だと思い込んでいたときがあったけれど、あるとき勇気を出して入ってみたら本の虫が住む場所だった。14 場所柄やっぱりアート系のタイトルが充実している。15 スタッフの選書の内容や推薦文の書き方にキャラクターが表れる店は信頼できる。16 秩序があるのかないのかわからないところがニューヨークらしい。

192 10th Ave., New York ☎212-255-4022 11:00〜19:00 無休

13

6

STORY ストーリー

21 雑誌の「特集」のようにテーマが変わるというコンセプト。訪問時のテーマは「ウェルネス」。テーマに関係ある商品ならなんでも。22 雑誌のストーリーのように登場人物が商品を紹介する。今回はボビー・ブラウンも参加。23 1か月から1か月半おきに変わるテーマ。内装もがらりと変わる。24 新しいテーマは会期直前に発表される。

144 10th Ave., New York ☎212-242-4853 11:00〜19:00（日〜18:00）月休

22

16

14

15

24

23

17

The High Line Hotel

ザ・ハイライン・ホテル

5

17 19世紀から神学校の寄宿舎として使われてきた部屋を改装。18 まだ敷地の半分は神学校として機能する。19 フロントのない玄関。奥に〈インテリゲンツィア・コーヒー〉のカウンターが。20 オーナーやデザインを担当した〈ローマン&ウィリアムズ〉が見つけてきたというヴィンテージの調度品。ひとつひとつがスペシャル。

180 10th Ave., New York ☎212-929-3888 無休

20

19

18

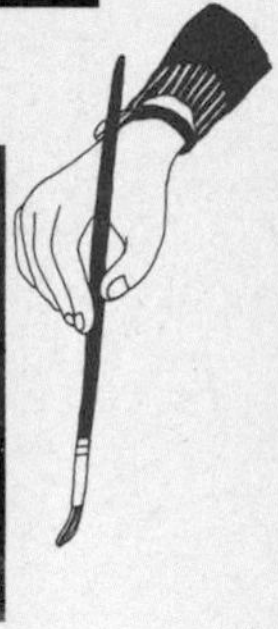

ギャラリーのオープニングがある夜だけ、にわかに活気づくという印象が強かった。今も昼間は高架を歩く人のほうが、ストリートを歩く人の姿よりも多いけれど、その人の少なさが新鮮だったりする。

ニューヨークを代表する有名ギャラリスト、ポーラ・クーパーが、編集者である夫と運営する本屋**〈192 ブックス〉**は、足を踏み入れると、働く女性たちが文学について熱く語り合っていて、盗み聞きしているような罪悪感を覚えつつ、なんだかほほえましい気持ちになる。アートブックとZINEの専門店**〈プリンテッド・マター・インク〉**は、いつも変わらぬお気に入りの場所。もっとも身近で気軽な表現の手段だし、一番手の届きやすいアートの形でもある。世界中のアーティストたちから送られてくるZINEを見て、彼らがどういう生活をし、どういう思いで作品を作っているのか妄想するのが好きだ。〈プリンテッド・マター・インク〉は本物のZINEラバーたちのサポートによって、非営利で運営されている。だからこそ足を運べば、何か見つかるし、何か買いたい。なくなったら困るから。

最近ぽつぽつとギャラリー以外のビジネスも増えて、〈チェルシー・マーケット〉と23丁目の間の一角が急に活気を帯びてきた。たとえば、NYでは他に扱いのない、ヨーロッパやアジアのエマージング・デザイナーに特化する**〈アンソム〉**もそうだし、道の反対側には〈スティーブ

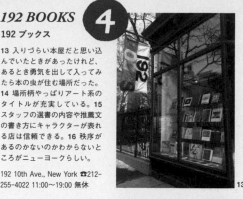

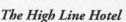

29

28

27

26

25

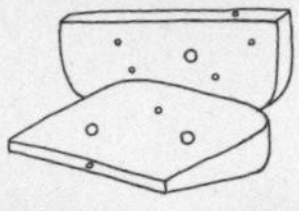

30

7

CHELSEA MARKET

チェルシー・マーケット

25 9番街側の正面玄関。手前には〈アンスロポロジー〉のショップが。**26** 館内にハイラインのおみやげショップ発見。**27** いい匂いが漂う〈エイミーズ・ブレッド〉のカウンター。**28** イースト・サイドで展開する〈ナインス・ストリート・エスプレッソ〉の出店。**29** アートの展示や館内のツアーも。**30**〈エイミーズ・ブレッド〉のスイーツ・コーナー。**31** 玄関そばの壁には、この建物の歴史を物語る写真やメモラビリアが。**32** タコスのスタンドがいつの間にかできていた。お昼時は大にぎわい。**33** プロの評価も高いキッチンショップ〈バワリー・キッチン〉はわりと古顔。**34** オイル、ビネガー、塩、ビールの専門店〈ザ・フィリング・ステーション〉。リフィルすると10%のディスカウントが受けられる。**35** 使いこなせそうにないけどなんだかわくわくするスパイス。**36** マイ・ロングセラー〈セタロ〉のパスタ。特にペンネが大好物。**37** 10番街に通じる裏口のそばにはモロッコ雑貨の店も。

75 9th Ave., New York ☎212-652-2110 7:00〜21:00 日8:00〜20:00 無休

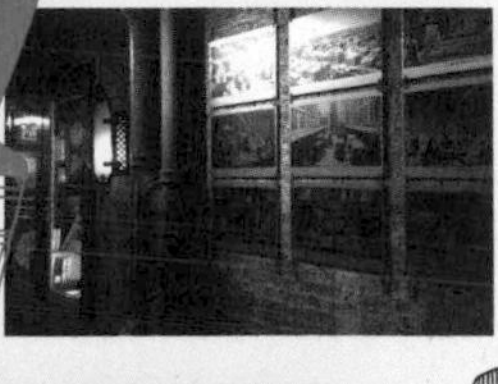

31

32

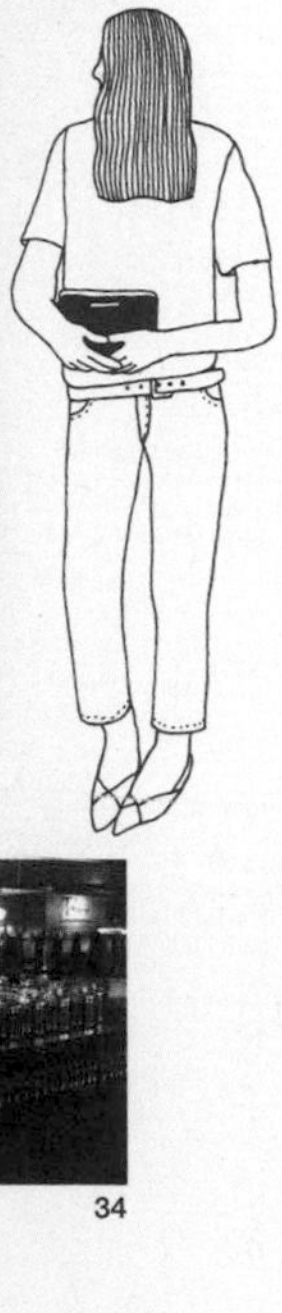

33

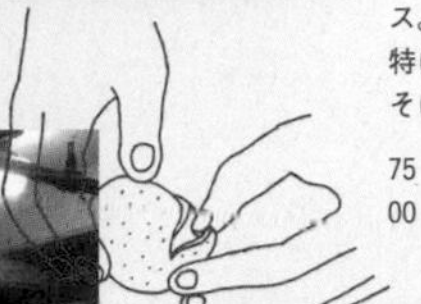

37

36

35

34

ン・アラン〉や、雑誌の特集のように定期的にテーマが変わる〈ストーリー〉もできた。長い間、神学校として機能していて、その外観の美しさには感嘆していたけれど、最近、その半分がホテルに生まれ変わったことで足を踏み入れられるようになった〈ザ・ハイライン・ホテル〉もある。天気がよければ〈インテリゲンツィア・コーヒー〉を、玄関脇のベンチで飲めるようになった。

チェルシーのグルメ文化がますますパワーアップ!

〈チェルシー・マーケット〉には昔からよく通っていた。時間つぶしや待ち合わせにはぴったりだ。新鮮な魚介類の入手が難しかった頃から、〈ザ・ロブスター・プレイス〉なら安心できた。鮮魚店価格でウニのニギリが食べられるし、新鮮なロブスターをその場で茹でてもらって食べるという裏ワザもある。イタリア食材の専門店〈ブオン・イタリア〉にもっちりした〈セタロ〉のパスタやチーズを買いに行くこともある。けれどこの手のものがブルックリンの家の近所でも買えるようになって、しばらく足が遠のいていた。久しぶりに訪れてみたら、スパイスやチーズの専門店ができていたり、テイクアウトの選択肢が増えていたり、驚くほどパワーアップしていた。ウィリアムズバーグの食専門のマーケット〈スモーガスバーグ〉が、冬季閉まる間の隙間を埋めてくれる心強い存在なのかもしれない。

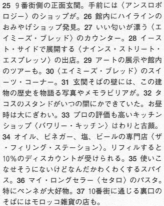

Owner's Favorite

イカした店主のお気に入り　VOL.15

マイケル・スチュワートさん

ニュージャージー在住。友人とともにジェーン・ストリートのレストランを購入して、1995年に〈タバーン・オン・ジェーン〉をリニューアル・オープン。

ニューヨーカーが好きな朝食スポットとして必ず名前が挙がる店。光の入り具合が気持ちいいからなのかも。オーナーは、左からスティーブン、リン、ジュディの３人組。リンは〈オデオン〉のオーナーでもある。

ウェスト・ヴィレッジらしい、チャーミングなレストラン。

1995年に自分の店をオープンして以来、ウェスト・ヴィレッジが大好きになった。この仕事をしていると、一日の大部分は店で過ごすことになるから、自分が足を運ぶ場所は限られるし、性格的にも同じ店に行くタイプだ。たとえば、髪の毛を切るのには、もう15年以上13丁目の〈ジーナ・ル・サロン〉に通い続けているし、エリアのランドマーク的レストラン〈オデオン〉ではたくさんの時間を過ごしてきた。

〈カフェ・クルーニー〉は、〈オデオン〉や〈カフェ・ルクセンバーグ〉を運営してきたリン・ワーゲンクネヒトが一番最近オープンしたレストラン。まだ数回しか行けていないけれど、ウェスト・ヴィレッジのチャームが表れた素晴らしい店だと思う。特にニューヨークらしいのは、朝食やブランチの時間帯。僕が試してみてとても良かったのはエッグベネディクトやオムレツなどの卵料理。新鮮なオーガニックの卵を使っていて絶品だった。地元民に愛される〈カフェ・クルーニー〉のような店が、ウェスト・ヴィレッジを特別な場所にしているんだ。

Cafe Cluny

〈カフェ・クルーニー〉284 W 12th St., New York ☎212-255-6900 8:30～23:00（木金～24:00）土9:00～24:00（日～23:00）無休　時間帯と曜日によってメニューが変わる。

NEW YORK DAYDREAM

本と映画で夢見るNY　VOL.07

薄れていく記憶と家族の絆。

『アリスのままで』（2015年）アメリカ　50歳の言語学者アリス。気がかりな次女リディアがいるものの、家族に囲まれ順風満帆な人生を送っていたが、次第に物忘れが多くなり……。ジュリアン・ムーアがアカデミー主演女優賞に輝いた作品。

コロンビア大学と聞いて思いつくのが、宇多田ヒカルやサッチーだったら、あなたはちょっと古いかも！　アイビーリーグの一校で、ノーベル賞受賞者を多く輩出しているニューヨークの名門私立大学は、オバマ大統領も卒業生だ。映画『アリスのままで』には、美しいキャンパスが登場する。ジュリアン・ムーア演じるアリスはコロンビア大学の教授。幸せな生活を送っていたが、ある日、若年性アルツハイマー病だと宣告される。記憶を失いながらも懸命に戦う母と家族の姿を描いた物語。

文／長谷川安曇

A Bite Of The World

NY味覚旅行　VOL.15

ロウワー・イーストにある人気のジャーマン＆オーストリアン・カフェ。

焼きたてのプレッツェルにバターと特製のチーズスプレッドがついて＄４。

ぷりっぷりのソーセージに酸味が効いたたっぷりのザワークラウト添え＄９。

プレッツェルに見る、アノニマスデザイン。

昔、読んだ柳宗理の『エッセイ』という本の中で、世界の様々なアノニマスデザインが紹介されていた。その中に〝パンの造形〟と題し、ハート形に編んだドイツ風のパンが掲載されていた。ドイツに一年ほど住んでいた彼が、いろいろな形のパンを部屋に飾って楽しんだというエピソードとともに。NYへ来てストリートのプレッツェル売りを見つけたとき、彼の言葉がふと蘇り、真似して壁に飾ってみた。しめ縄のような〝結び〟の美しさにすっかり見入った。形から入ったそれを、食べ物として好きになったのはこの店のプレッツェルに出合ってから。こんがり焼き上がった輪っかをちぎると、コシのある白い生地が顔を出す。コクのあるジャーマンビアとソーセージと相性抜群だ。

Cafe Katja

〈カフェ・カーチャ〉79 Orchard St., New York ☎212-219-9545 11:30～15:30（土日11:00～）17:00～23:00（金土～24:00）無休

文・写真／松尾由貴

My New York Moment

NY在住写真家のフォトエッセイ　VOL.15

Jimmy Pham

ジミー・ファム／南カリフォルニア出身のベトナム系アメリカ人。ニューヨークを拠点に旅をしながら、エディトリアルや広告の仕事をする。熱心なサーファーでもある。http://jimjims.net

街に命を吹き込む、ストリートの裏の色。

この街の新参者なら誰もがするように、過去４年間、街を歩きまわり、新しいカフェやレストラン、ギャラリーが開店してエリアが開花する様子を見てきたけれど、この街に感じる感嘆がやむことはない。ブルックリンやマンハッタンの雰囲気やアイコニックな建築よりも、ストリートの裏にある様々な色に惹きつけられてきた。この街は食、ドレス、宗教、政治、性、すべての意味で多様だから。写真はブルックリンのクラウンハイツで、ある日曜日に教会に行く女性。僕にとってはこういうイメージが、ランドマーク以上にニューヨーク的なもの。世界一のコンクリートジャングルに命を吹き込むのは、人々と彼らが織りなす文化だから。

& New York

Walk In NYC

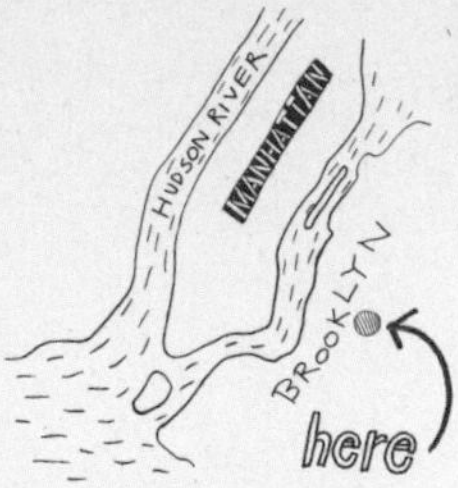

area data

ブルックリン、ウィリアムズバーグの東側、ベッドスタイの北側。伝統的には工場や倉庫が多く、アーティストやミュージシャンが多く暮らす。今ではブッシュウィック全域で再開発が進んでいるが、今回取り上げたのは、L線のモーガン・アベニュー駅周辺。ギャラリーやライブハウス、クラブも充実している。

Bushwick

ブッシュウィック

絶えず循環している、ニューヨークの激震地。

佐久間裕美子の
ウォーキンNY
VOL.16

文・写真／佐久間裕美子

工業地帯だった時代の名残。現在も稼働している工場もある。

道幅がやたらと広いのもエリアの特徴。まだ未開発感が満々にある。

壁はキャンバスでありビルボードでもある。名物グラフィティも多数。

5

4

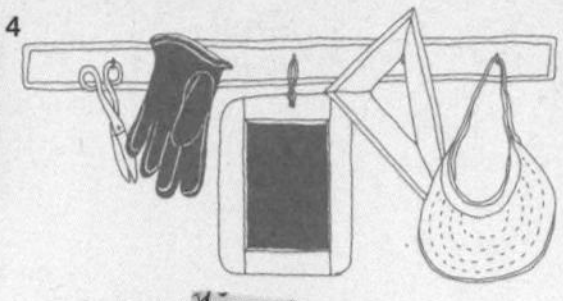

6

1 *Mary Meyer Clothing/ Friends Vintage*

メアリー・マイヤー・クロージング/フレンズ・ヴィンテージ

1 アーティストのロフトを思わせる空間に、メアリーがセレクトする商品が並ぶ。セクシーなアーバン系のブランド〈メアリー・マイヤー〉をヴィンテージと程よくミックス。**2** ハンドメイドのジュエリーやアクセサリーも充実。＄20でお釣りがくるものから展開。**3** 手作り感あふれる入り口。

56 Bogart St., Brooklyn ☎718-386-6279 12:00〜20:30 無休　エリアの草分け的存在。

7

8

9

2 *FINE & RAW*

ファイン＆ロー

4 リアル店舗ではバラ売りで楽しめるトリュフ。「シーソルト」など甘じょっぱい系がおすすめ。原材料はすべてオーガニック。**5** 店舗のオープンまでは自転車でチョコを配達していたというオーナーのダニエル。**6** グルメ系食料品店で目にすることの増えた板チョコやトリュフのセット。**7** 楽しそうなスタッフの集合写真。**8** ネオンサインの下でスタッフがチョコレートを作っているのを見ることができる。**9** ウエアハウスを改造したブッシュウィックらしい店内。家具が雑に置かれるこのメローさがたまらない。

288 Seigel St., Brooklyn ☎718-366-3633 10:00〜18:00（土12:00〜）日休　ネット注文も可。

2

3

1

10

11

3 *Swallow Cafe*

スワロー・カフェ

10 モーガン・アベニュー駅前。ブッシュウィックのヒップスターたちが出入りする。**11** インターネットが使えるから、昼間の店内はノマドオフィスの趣。**12**〈ブルックリン・ロースティング・カンパニー〉の豆を使用し、コーヒーはフレンチプレスで淹れてくれる。

49 Bogart St., Brooklyn ☎347-689-4192 7:00〜21:00（土日10:00〜）無休　人物ウォッチに最適。

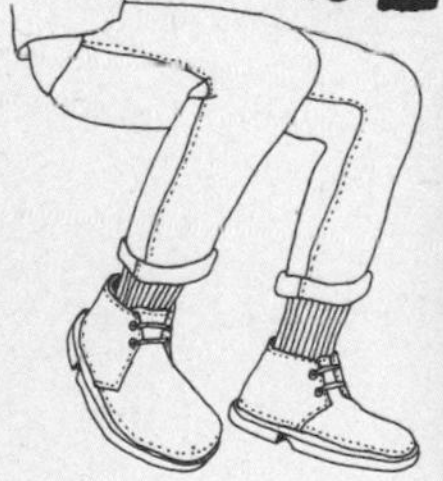

12

アートと音楽を融合する、複合系のDIYスペースがウィリアムズバーグから少しずつ押し出されて、ブッシュウィックに夜遊びに出かけることが増えたのは、何年くらい前だったろうか。地価高騰による人口大移動のおかげで、気がついたらすっかり、ヒップスターの聖地（良くも悪くも）と化したブッシュウィックは、今、マンハッタンやウィリアムズバーグから減ってしまった、ヴィンテージ・ショッピングの中心になりつつある。ニューヨークの激震地が、いつも循環しているってことを教えてくれる、旬なエリアだ。

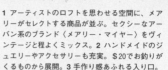

音楽とアートに続いたショップやレストラン。

ニューヨークで工場や倉庫が最後まで残っていたのは、ブッシュウィックかもしれない。グリーンポイントやウィリアムズバーグをはじき出されたアーティストたちが、創作の場を求めてここへ移動を始めたのは、スペースが潤沢にあったから。かつて夜遊びオンリーだった頃のブッシュウィックは、汚くてちょっと危ないというイメージがあったけれど、地下鉄の駅前に**〈メアリー・マイヤー・クロージング〉**がオープンしたあたりから、カフェやレストラン、ショップがどんどんできるようになった。メアリーの店は、2011年のオープン以来、たびたびメイクオーバーを繰り返してきた。今では自分のブランド〈メアリー・マイヤ

5 *The Mobile Vintage Shop*

ザ・モバイル・ヴィンテージ・ショップ

18 キャンピングカーを使った移動式ブティック。車内なのに中は意外にもゆったり。床が斜めなのもご愛嬌。**19** デニムのラック。価格はすべて＄10。**20** オープン当時から白かったキャンピングカー。最近黒に塗り替えた。移動しない〈ザ・10ダラー・ヴィンテージ・ショップ〉もある。

43 Bogart St., Brooklyn ☎404-263-8550 15:00～23:00 無休　16 Cypress Ave.の隣に固定店舗あり。

18

19

20

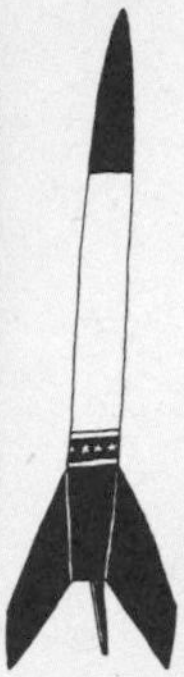

13

14

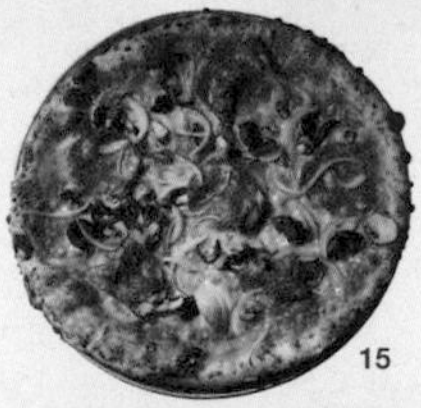
15

16

17

4 *Roberta's*

ロベルタス

13 スタッフがヒップ。**14** 2008年のオープンに際し、イタリアから輸入したという窯。かりっとした薄焼きがいい。**15** 写真は「アマトリチャーナ」。2人でシェアしてちょうどいいサイズ。**16** ベストセラーの「フェイマス・オリジナル」。**17** いつ訪れてもわいわいと賑わう店内。夜間には何時間も待つことも。店の奥にはラジオ局のブースもあります。1人＄195のコース・オンリーの姉妹店〈ブランカ〉にもこの店内を通って案内される。photo : Deidre Schoo

261 Moore St., Brooklyn ☎718-417-1118 11:00～24:00（土日10:00～）無休

6 *Hops & Hocks*

ホップス＆ホックス

21 おいしそうなハム類が並ぶカウンター。日替わりのサンドイッチとスープのメニューはウェブで確認できる。**22** なにしろビールが好きなんです。**23** ブルックリン産のスナックのセレクションも豊富。**24** ニューヨーク市内で醸造される銘柄が増えていることにはっとする。ビールはテイクアウト。残念ながら店内では飲めません。ソーダやコンブチャもドラフトで。

2 Morgan Ave., Brooklyn ☎718-456-4677 月11:30～21:00 火～木9:30～21:00 金 土9:30～22:00 日11:00～21:00 無休

21

22

23

24

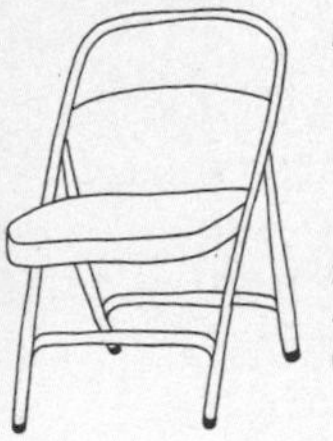

ー〉をショーケースしながら、地元のメーカーたちをもり立て、かつポップで遊び心のあるヴィンテージの商品も取り扱うユニセックスの空間に成長した。今のブッシュウィックを体現する場所。

駅前の**〈スワロー・カフェ〉**は、ヒップスター・ウォッチングには最適な場所。インターネットが使えるカフェが、ノマドのオフィス化するのはちょっぴり残念なことだとしても、人間観察はやっぱり楽しい。

食のアルティザン文化がブルックリンで開花する今、ブッシュウィックもご多分にもれず、味のレベルがどんどん上がっている。もう何年も前、モーガン・アベニュー駅前のエリアが、人が押しかけるエリアになった理由のひとつに、**〈ロベルタス〉**がある。この地で活動していたアーティストたちがオープンしたピッツェリアは、２００８年のオープン直後から、素材にこだわった薄焼きのピッツァを求めて、マンハッタンからも人がやってくる人気レストランに。夕食時にはすぐに座ることができないほどの人気。

どんどん成熟する食のアルティザン文化。

最近、ブルックリンまわりのグルメ食品店で商品を見かけることが増えた**〈ファイン&ロー〉**も、やはりアーティストのサイドプロジェクトがビジネスに成長した一例。低温で作るから、カカオ本来のフレーバーがぎゅっと閉じ込められる。甘じょ

Urban Jungle
8
アーバン・ジャングル

28 この辺りには他にもぽつぽつ見かける大型のヴィンテージ・ウエアハウス。29 雑な感じに好感が持てるディスプレイ。キャラクターもののシーツやブランケットの類いも。30 デニムジャケット、スウェットとカテゴリー別に並ぶラックを真剣に掘る。失われた宝探しの醍醐味。

120 Knickerbocker Ave., Brooklyn ☎718-381-8510 12:00〜19:00 無休　超アメリカンな古着屋。

28

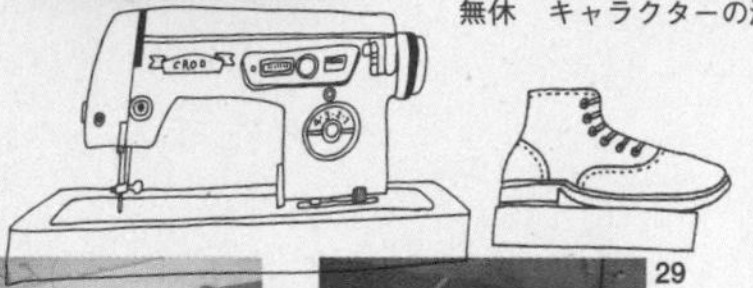

Human Relations
7
ヒューマン・リレーションズ

25 ぎっしり本が並ぶ棚の後ろに文学系やオカルト書の並ぶ小部屋がある。壁にはパルプフィクションのコレクションが。26 天気のいい日には、ディスカウント本が外に出ます。27「ずっと売れない」と店主が笑うレアな『Cabinet of Natural Curiosities』はめくるだけで楽しい。

1067 Flushing Ave., Brooklyn ☎なし 12:00〜20:00 無休　キャラクターの濃い古本屋。

25

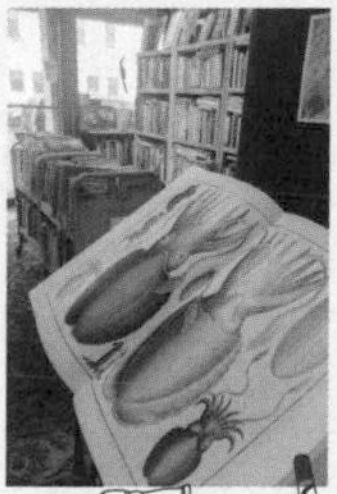
27

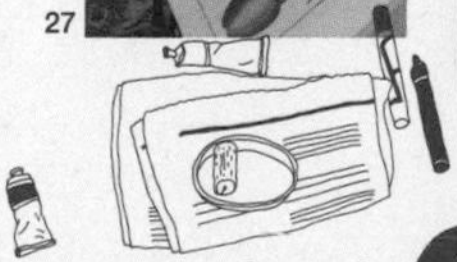

26

30

29

34

Dear Bushwick
9
ディア・ブッシュウィック

31 ビネグレット風味の「アイアン・スキレット・ポーク・チョップ」$24。32 ブランチの定番「ザ・フル・イングリッシュ」はコーヒーとカクテル付きで$17。33 近郊の農園から直接購入する食材が自慢。34 オリジナルのカクテルのメニューに自信。季節ものも。35 インテリアもイギリス風。36 ローズを漬けたジンにロゼ、アペロール、レモンを加えたカクテルはその名も「アイロン・レディ」(サッチャー元首相のあだ名) $11。とにかく強そう。

41 Wilson Ave., Brooklyn ☎929-234-2344 ブランチ11:00〜16:00 (土日のみ) ディナー18:00〜23:00 無休　2016年もミシュラン入り。

31

33

32

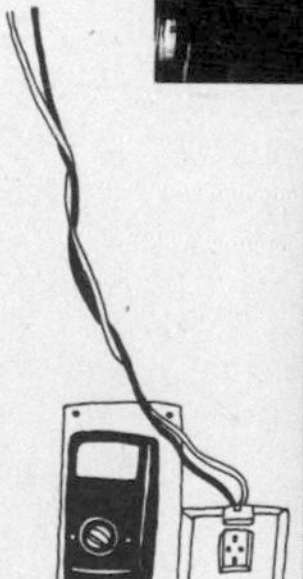

36

35

っぱいチョコレートを試食しながらコーヒーを飲めるというのもいい。**〈ホップス&ホックス〉**はその名の通りビールの店。店内のバーで、テイクアウト用のボトルにドラフトビールをリフィルしてくれるのだけれど、瓶ビールのセレクションやサンドイッチ、スープもある。おみやげにうれしいブルックリン産の食アイテムも充実している。

〈ディア・ブッシュウィック〉は、ニューヨーク州北部の農園から仕入れた食材を、イギリス流のメニューで出す店。地産地消がもはやスタンダードになりつつあることを再確認させてくれる。

新しいエリアの成熟度を考えるとき、個性ある本屋がひとつの指針になる。**〈ヒューマン・リレーションズ〉**＝人間関係という名前の本屋には、イケメンでフレンドリーな店主(写真は苦手らしい)がいて、アート関係が充実しているけれど、オカルト系やパルプフィクションに力を入れているのも、ぐっとくる。

ブッシュウィックの楽しみ方はいろいろあるけれど、一番は古着ショッピング。ヴィンテージの店が、マンハッタンやウィリアムズバーグからどんどん姿を消す今、これだけの店が密集するエリアは他にはない。すべて10ドルの**〈ザ・モバイル・ヴィンテージ・ショップ〉**や巨大なウエアハウスに大量のラックがずらりと並ぶ**〈アーバン・ジャングル〉**はほんの一例。こんな時代でも〝掘り出し物〟は見つけられるはず。

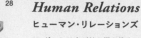

Owner's Favorite

イカした店主のお気に入り VOL.16

リン・ワーゲンクネヒトさん

〈オデオン〉〈カフェ・ルクセンバーグ〉を運営したのち、ウェスト・ヴィレッジに2人の仲間（写真）と〈カフェ・クルーニー〉をオープン。中央がリン。

クリーンでミニマムでも温かいムード。ソーホーらしい天井の高い空間をゆったり使ったぜいたくさが○。生粋のニューヨーカーというブーキーとルイーザの姉妹ならではの、都会的でモダンなセレクション。

クラシックでありつつモダンな、お気に入りのセレクション。

トライベッカ、ウェスト・ヴィレッジ、アッパー・ウェスト・サイドに1軒ずつレストランを持っているので、いつもマンハッタンを行ったり来たりしているのですが、私が惹かれるのは、クラシックで時間の波に耐えうるもの。

正直、自分がお金を使う対象は、なんらかの個人的な関係性があるホームウエアや家具の類いばかり。洋服の買い物はほとんどしないのですが、たまに買うとしたら、決まった店ばかりになってしまいます。子供たちを通じて知っていたブーキーとルイーザの姉妹が、ブティックをオープンするというのは、計画の段階から聞いていましたが、実際に訪れてみたら〈トレードマーク〉はうれしい驚きでした。世代のまったく違う彼女たちが選ぶものは、ひとつひとつにクラシックの要素がありながら、モダンな解釈が絶妙に入っているもの。新しい要素は10年経っても古くならないタイプのものばかり。リラックスできる空気感に、彼女たちならではのパーソナルなセレクション、私のような難しいタイプのショッパーにもぴったりです。

Trademark

〈トレードマーク〉95 Grand St., New York ☎646-559-4945 11:00〜19:00（木金土〜19:30）日12:00〜18:00 無休 ファッション業界で修業を積んだ姉妹が手がけた店。トリー・バーチの義妹でもある。

NEW YORK DAYDREAM

本と映画で夢見るNY VOL.08

'80年代のクイーンズの風景。

'80年代のクールなニューヨークが体感できる映画。アフリカの王国ザムンダの王子で、エディ・マーフィー演じるアキームは、父親が決めた許嫁ではなく、自分で花嫁を見つけようと、ニューヨークへ。クイーン（王女）を探しに、クイーンズ地区に住み始める。走行中に電気がついたり消えたりする頃の、グラフィティだらけの地下鉄や、公園が整備される前のダンボなど、ストリート感溢れる当時の風景がたくさん登場する。ファッションも今のキッズより断然おしゃれ！

『星の王子 ニューヨークへ行く』(1988年) アメリカ エディ・マーフィー主演。王子であることを隠しながら、リサに恋心を抱くアキーム。リサの父親が経営するクイーンズのハンバーガー店で働くが、ある日心配した国王がやって来て……。

文／長谷川安曇

A Bite Of The World

NY味覚旅行 VOL.16

銀のティーポットを高々と持ち上げサーブするモロッカンミントティー＄4.50。

フムス、ババガヌーシュ、バッコーラの3種のメゼとピタブレッド＄13.75。

スロークックでほろほろのラムシチュー、ラム・ケドラ＆クスクス＄18.75。

前世の記憶〜モロッコ編〜

もしかしたら前世にイスラム圏にいたことがあるんじゃないかと思っている。生まれて初めてケバブ料理を食べた時、何故かすごく知っている味がした。特にモロッコ料理は、時々体が欲するほど食べたくなる。不思議な縁を感じる、一度は訪れてみたい国モロッコ。そんな想いを胸に時々向かうのが、イースト・ヴィレッジのインド通りにある〈ゼルザ〉。半地下の店内の壁や天井に、ランプシェードから映し出されたアラベスクの影絵が揺れる。タヒニを多用したメゼはピタと相性抜群。様々なスパイスとドライフルーツが織りなす、スイート＆セイボリーで濃厚なラムシチューをクスクスと一緒に口へ運ぶと、マラケシュの喧騒が今にも聞こえてきそう……。ああ、妄想は止まらない!!

Zerza

〈ゼルザ〉320 East 6th St., New York ☎212-529-8250 16:00〜23:30（金土〜翌1:30）無休

文・写真／松尾由貴

My New York Moment

NY在住写真家のフォトエッセイ　VOL.16

陽の差さない部屋、独り占めの静寂。

僕のブルックリンのアパートには日光が直接入らない。夏至の前後の1.5か月をのぞいては。午後4時頃、床に落ちたシルバーの光がだんだん四角く広がり、家の西側のマンハッタンのビル群を照らす夕日になる。紫でもオレンジでもピンクでもない奇妙な色の光。その頃には熱を遮断するためにカーテンを下ろす。飲み物を作り、夜の風にあたるために窓から身を乗り出す。時々、隣の窓で、隣家の母親が、家族に隠れてタバコを吸う。この写真は、ある夏、妻がニューヨークにやって来るのを待っているときに撮った。隣家の母親と目が合い、目をそらした。お互い、この場所とこの静寂を、独り占めしているという幻想を維持するために。

Nicholas Calcott

ニコラス・キャルコット／ミシガン州出身。写真家ディーン・カウフマンに師事した後、フランスで数年を過ごし、現在はニューヨークを拠点に幅広く活動。www.nicholascalcott.com

& New York

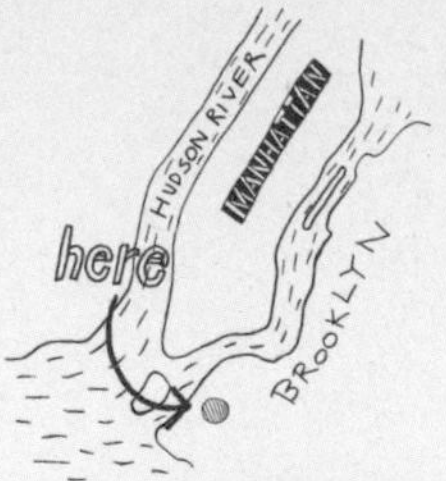

Gowanus/Carroll Gardens

ゴワナス／キャロル・ガーデンズ

飲食店の進出に伴い、ヒップに変貌するエリア。

佐久間裕美子のウォーキンNY
VOL.17

area data

西にパーク・スロープ、東にキャロル・ガーデンズ、北にボーラム・ヒルと隣接。長い間、工業地帯だったけれど、最近になって南北に運河が走るゴワナスの再開発とともにキャロル・ガーデンズの東側にも新しい動きが見られるように。地下鉄はF・G線の4アベニュー駅かR線の9ストリート駅かユニオン駅が最寄り。

文・写真／佐久間裕美子

東西に走る小道は、低層でこぎれいなタウンハウスが立ち並ぶ。

ゴワナスとキャロル・ガーデンズのちょうど境目になるあたり。

〈ホールフーズ〉の屋上には〈ゴッサム・グリーンズ〉の農園が。

5

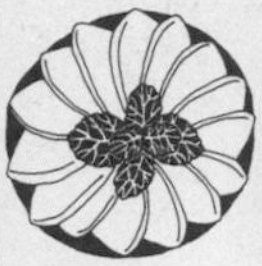

6

2

1

7

8

2

Black Gold At The Morbid Anatomy Museum

ブラック・ゴールド・アット・ザ・モービッド・アナトミー・ミュージアム

5 ミュージアムの地階の一角を占めるコーヒースタンド。**6** ゴスっぽいグラフィックが、病理学のミュージアムにぴったり。**7** 注文してから一杯ずつドリップで淹れてくれるコーヒー。時間はかかるけどおいしい。**8** コート・ストリートにある本店は、レコードとコーヒーの店。こちらの店舗でもレコードのセレクションの一部や、ロゴ入りトートやTシャツを扱っている。

424A 3rd Ave., Brooklyn ☎347-227-8227 8:00～20:00 土10:00～20:00 日10:00～18:00 無休 〈オーブンリー〉のスイーツも。

1

Littleneck リトルネック

1 ニューイングランド、それも具体的にビーチまわりのシーフードに特化したレストランならではの風通しのいいインテリア。**2** でも入り口は素朴なグラフィック。**3** すっかり市民権を獲得した感のあるロブスター・ロールだけど、ここのものはロブスターのボリュームがすごい（$18）。シーフードを使ったブランチ・メニューもいい。**4** ハンドメイド感あふれる錨のロゴがキュート。

288 3rd Ave., Brooklyn ☎718-522-1921 ブランチ10:00～15:00（土日のみ）17:00～22:00（木金土～23:00）火休　グリーンポイントにも支店が。

3

4

9

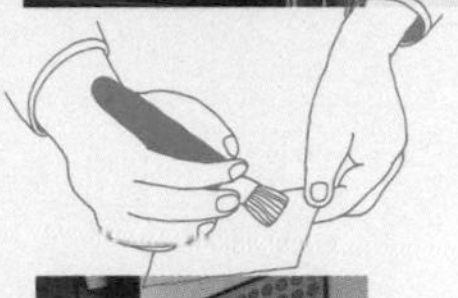

The Morbid Anatomy Museum

ザ・モービッド・アナトミー・ミュージアム

9 ジョアンが個人的に所有する文献を、興味がある人とシェアするために始めた資料室。**10** 病理学オタクの趣味がブログになり、非営利のミュージアムにまで成長した。**11** マンハッタンの骨董品屋が閉店したことで安価に手に入れることができたというホルマリン漬けのコレクション。**12** 展示スペースでは、数か月に一度ショーを開催。入場料は、資料室と込みで＄８。

424A 3rd Ave., Brooklyn ☎347-799-1017 12:00～18:00 火休　数か月ごとに新たな展示を開催。

3

12

11

10

３年ほど前に「ゴワナス運河にイルカが現れる」というニュースが世間を騒がせた。どういうわけか都会の川に紛れ込んでしまったイルカは、愛嬌を振りまいてニューヨーカーを虜にしたあと、残念ながら死んでしまったけれど、ゴワナスというエリアの名前を最初に意識した記憶はそれだった。キャロル・ガーデンズとパーク・スロープの間に位置するこのエリアが話題にのぼることがここにきて急に増えてきた。

工業地帯の隙間にヒップ化の波が。

２０１４年〈ホールフーズ〉がオープンしたことで、すっかりヒップに（または高級に）出来上がった印象すら受けがちだけど、最近、仕事相手である〈ベストメイド〉のオフィスが引っ越してきたのをきっかけに訪れることが増えたゴワナスは、実際に歩いてみると、まだ営業する工場や倉庫の合間に、ヒップな店がぽつりぽつりとある程度。ブルックリンの北側の開発が急速に進む今、こののどかさが新鮮だ。

同時に実はもう何年も前にゴワナスに巣を作り、成長しながらエリアの発展に貢献してきたビジネスはけっこうあって、やっぱりそのほとんどは食べ物系だ。オープンの日付けが店名になっている**〈フォー＆トゥエンティー・ブラックバーズ〉**のパイへの称賛の声は、ブルックリンの外にも漏れ伝わるほどのものだし、

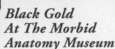

18

17

By Brooklyn 5

バイ・ブルックリン

17 ブルックリンといえばDIY。自分で作れるキットの類いが充実している。**18** ウォータータンク、橋、工場のサインなどをモチーフにしたインテリア小物。**19** ブルックリン産のスイーツ、スナック類、インセンス類、自転車グッズからアパレルまで、ブルックリンだけでここまでの商品が存在する時代に！ **20** ゴワナスからキャロル・ガーデンズに入ったあたりにあります。

261 Smith St., Brooklyn ☎718-643-0606 11:00〜19:00（木金土〜20:00）無休　旬の土産ショップ。

19

Four & Twenty Blackbirds 4

フォー＆トゥエンティー・ブラックバーズ

13 4月20日にオープンしたからこの名前がついたという。パイのメニューはほとんど毎日変わる。**14** 古い建物のオリジナルの装飾を生かしたインテリア。**15** ゴワナスの新名所。遠方から人がわざわざやって来るだけあって、今ではパイのレシピ本を出すほどに。**16** 超人気の「ソルテッド・キャラメル・アップルパイ」はオールシーズン楽しめる。1スライス＄5.50。

439 3rd Ave., Brooklyn ☎718-499-2917 8:00〜20:00（土9:00〜）日10:00〜19:00 無休

13

14

15

16

20

22

21

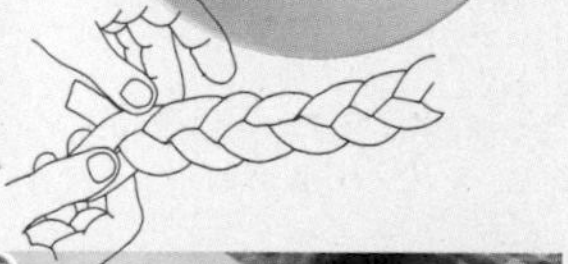

Kittery 6 キタリー

21 ヴィンテージのナンバープレートで埋め尽くされる壁。オーナーが、ギフトでもらったりアンティークショップで見つけたものだそう。**22** ブルックリンのシーフードレストランに通じるレトロなデザイン。**23**「オイスター・オン・ザ・ハーフ・シェル」。オイスターは1つ＄2〜3。**24** こちらもニューイングランド・スタイル。オーナーはシーフードで有名なメイン州の出身だという。

305 Smith St., Brooklyn ☎718-643-3293 17:00〜23:00 土10:00〜23:00 日10:00〜22:00 無休

24

23

「ニューイングランド流のクラシックなビーチフード」と、きわめて具体的なスタイルの食事を出す**〈リトルネック〉**も、この地で成功して、最近グリーンポイントに店を出すに至った。あとに続いた同じくニューイングランド風海鮮の店**〈キタリー〉**も評判はなかなかだ。**〈ブラック・マウンテン・ワインハウス〉**は、〈ベストメイド〉のベン・レイブリー（よく〈ベストメイド〉のモデルとしても登場するブルックリン住民）が教えてくれた。気軽でカジュアルでコージー、人の家みたいな雰囲気のあるワインショップ。こういう店、前はウィリアムズバーグやグリーンポイントにもあったよな、とちょっと遠い目をしたくなるが、ネイバーフッドの発展には「人がわざわざやって来るほどの味」が大きく作用しているのだと改めて実感する。

余談だけれどゴワナスの〈ホールフーズ〉は、駐車場の屋根にソーラーパネルを使っていたり、商業規模の屋上農園〈ゴッサム・グリーンズ〉で農作物を作っていたり、いろんな工夫が凝らされている。ここで作られる野菜が、レストランやスーパーに届き、品質の向上や価格高騰の抑止に貢献しているわけで、とても頼もしい存在である。

サード・アベニューの角の**〈ザ・モービッド・アナトミー・ミュージアム〉**は、営業時間外に建物の横を通るたびに好奇心をそそられていたのだが、ついに最近、訪問を果たした。オーナーのジョアン・エベンシ

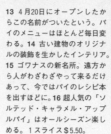

30

29

26

25

31

SWALLOW

8

スワロウ

29 オリジナルのジュエリーと、鉱石や貝、インテリア小物が絶妙のバランスで並べられている。**30** この独特のエクステリア、どうですか。**31** 大地を思わせる色調の店内に、天井からは大きさの違うベルが吊り下がっていて、それぞれ違う音を出す。**32** オーナー、アンの犬ズズと、スタッフの犬コズモが店の中を駆けまわる。こちらは外の様子が気になるまだパピーのコズモ。

361 Smith St., Brooklyn ☎718-222-8201 12:00〜19:00 無休

27

28

32

7

ATMOSPHERE

アトモスフィア

25 ラグのメーカー〈ダッシュ＆アルバート〉を取り扱う。**26** ドアの横には「好奇心のある人のために」と、ちょっとしたものを取り扱っているというサインが。**27** 原始的なものと自然のもののミックスというスタイルが主流になりつつありながら各店でテイストが立っているのがおもしろい。**28** 園芸コーナーには今ブルックリンで愛されている料理本のタイトルが並ぶ。

333 Smith St., Brooklyn ☎347-763-0881 12:00〜19:00 土11:00〜19:00 日11:00〜17:00 月休　時間が経つのを忘れそうな店内。

34

33

Black Mountain Winehouse

9

ブラック・マウンテン・ワインハウス

33 グループでシェアできるタパス・スタイルの小皿料理がメイン。「マック＆チーズ」は＄11。**34** 暖炉があるからかコージーな雰囲気。誰かの居間のような店、ブルックリンの北部では少なくなった。**35** インテリアのキーワードは、ファームハウス、骨董品。**36** 30種類以上ものワインをグラスで楽しめる。フランスやスペインも多いけど、チリ、アルゼンチンといった南米のワインも自慢。

415 Union St., Brooklyn ☎718-522-4340 15:00〜24:00 無休　ゴワナスに足を向ける理由にもなる店。

36

35

ュタインは、病理学オタクで、ホルマリン漬け、内臓や骨格のモデルを長いこと収集していたが、2007年に始めたブログをきっかけに、世の中には似た趣味を持つ人が多いことを発見。文献を見たいというリクエストに応じるうちに、資料スペースを一般公開するに至り、最近は非営利団体のステータスも認可され、立派なミュージアムとして成長していったという。ゴワナスの新名所ともいうべきミュージアムの地階には、コート・ストリートに本店があるレコードとコーヒーの店**〈ブラック・ゴールド・アット・ザ・モービッド・アナトミー・ミュージアム〉**がカフェ部門を受け持っている。

キャロル・ガーデンズの方に足を延ばしてみると、ゴワナスとの境あたりの数ブロックがとてもいい。ブルックリン産のアルティザン系食材やおみやげのセレクションの多さでは、ブルックリンの中でも雄なんじゃないかと思われる**〈バイ・ブルックリン〉**は、単純ではあるけれど便利だし、雑貨とインテリアの**〈アトモスフィア〉**はギフトアイデアが満載で、見ているだけでワクワクする。でも私が一番好きなのは**〈スワロウ〉**だ。大地を思わせる茶色い店内いっぱいに、オリジナルのジュエリー、鉱石やサンゴ、吊り下がるベルなどが並ぶ。国内の作家と日本の作家のものが絶妙に交じる陶器のセレクションは、コスミックで繊細。オーナー、アンの独特の世界観が心に響く店だ。

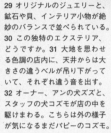

Owner's Favorite

イカした店主のお気に入り　VOL.17

プーキー・バーチさん

妹のルイーザと共にブランド〈トレードマーク〉を2013年にローンチ。グランド・ストリートに店舗がある。デザイナーのトリー・バーチは、義理の姉。

ブライアン（右上）が2009年にオープンした古書とレア本の店。ヴィンテージのアートブックスや写真集に強く、リーズナブルな価格帯に定評がある。かつてのＮＹに多数あった、小さいけれど宝物のような名店だ。

スペシャルで独特なセレクトのイースト・ヴィレッジらしい店。

ここ７年ほどイースト・ヴィレッジに住んでいるのだけれど、とてもハッピー。ルパートというダックスフントを飼っているので、犬が入れる場所を中心に散策する習慣になっているの。イースト・ヴィレッジには、ひとつのことを専門にしていて、そのことなら誰にも負けないというような個人経営の店がたくさんあって、そんなスペシャルで独特の店が好き。

〈マスト・ブックス〉はそんな店のひとつ。私のアパートの向かいにあって、窓から見えるくらいの距離。大学で写真を勉強したこともあって、写真の本を中心に本の収集を始めたのだけれど、そのあと本のデザインやフォントに興味を持つようになって、'70年代の本、特に料理の本を集めている。今までいろんな本屋に行ったけれど、私が集めているタイプの本を多数取り扱っている〈マスト・ブックス〉は、そのなかでもベスト。いつも本に夢中になっていて、オーナーとは話をしたことはないけれど、本を選ぶセンスにいつも感嘆する。時々、私の心を読まれているのではないかと思うほどなの。

Mast Books

〈マスト・ブックス〉66 Ave. A, New York ☎646-370-1114 12:00～22:00 無休　不景気で多くの老舗が廃業したあとの2009年にオープンした頼りになる古本専門店。玄人たちからの評価も高い。

NEW YORK DAYDREAM

本と映画で夢見るNY　VOL.09

切ないラブストーリー。

オ～マイ～ラブ～、というサビのライチャス・ブラザーズのテーマソングやろくろ、ラブシーンも、全部この映画で知りました。デミ・ムーア演じるモリーは陶芸家。ある日恋人のサムが突然死んでゴーストとなる。サムは、彼が見えないモリーに迫る危険をなんとか知らせようとする。トライベッカやソーホー、ウォールストリートなど美しい街角が多く登場する'90年代に大ヒットしたラブストーリー。でも金融マンとアーティストのカップルなんて、ゴーストより滅多にいないぞ！

『ゴースト／ニューヨークの幻』(1990年) アメリカ　突然の出来事で恋人のサムを失ったモリーは途方に暮れる。サムはゴーストになって、自分のことが唯一見える霊媒師を頼りに、なんとかモリーを、迫る危険から救おうとするが……。

文／長谷川安曇

A Bite Of The World

NY味覚旅行　VOL.17

プロスペクトハイツで約40年営業している、人気のソウルフード食堂。

ランダムに飾られた、店主のお気に入りの絵や写真など、〝リビング感〟がいい。

フライドチキン、マック＆チーズ、オクラ＆コーンにコーンブレッド＄10.50。

ソウルに響くソウルフード。

ソウルフードとは、もともと南部のアフリカ系アメリカ人奴隷たちの間で食べられていた料理のことで、'60年代にそう呼ばれ始めた。時代は市民権運動のさなか、アフリカン・アメリカンとそのカルチャーを称え、〝ソウル〟という枕言葉がよく使われたのだそうだ。最近では〝おふくろの味〟とか〝故郷の味〟という意味でも使われる。〈ミッチェルズ〉は、その両方の意味のソウルフードをサーブする食堂だ。オーナーのジョンジー・ミッチェルさんは約40年、変わらないレシピで伝統の南部料理を作り続けている。香ばしいコーンブレッドや、さくさくのフライドチキンにかぶりつきながら、訪れたことのあるアラバマの乾いた空気とだだっ広い土地を思い浮かべる。

Mitchell's Soul Food

〈ミッチェルズ・ソウルフード〉617A Vanderbilt Ave., Brooklyn ☎718-789-3212 12:00～21:30(金土～22:30) 日13:00～20:00 月火休

文・写真／松尾由貴

My New York Moment

NY在住写真家のフォトエッセイ　VOL.17

Jeffrey Shagawat

ジェフリー・シャガワット／ニュージャージー州出身。エディターからフォトグラファーに転身。代表作に脳腫瘍の闘病中に制作した『セルフィー』がある。www.jeffreyshagawat.com

不眠症の午前3時、チャイナタウン。

ひどい不眠症が写真家としては強みだ。ライカのM６やオートフォーカスカメラを持って、突発性を求めて出かける。この写真は、暑くてジメジメした、濡れたスポンジの中を歩くような感覚の夜に撮った。すっかり無人なのに、市場の匂いが漂う午前３時のチャイナタウン。うごめくのはホームレスとネズミだけ、まるで世紀末だ。何度か撮ったけれど、ベッドを抜け出たことを正当化する一枚が撮れていなかった。疲れて帰途につこうと角を曲がったところに彼女がいた。目も合わせなかったし、振り返りもしなかった。想像のなかでは、タバコを吸うホリー・ゴーライトリーか、悪い決断について涙を流す女性か。永遠のミステリーだ。

& New York

Walk In NYC

佐久間裕美子のウォーキンNY

VOL.18

Upper East Side

アッパー・イースト・サイド

コンサバで退屈から、訪れたい場所に変貌。

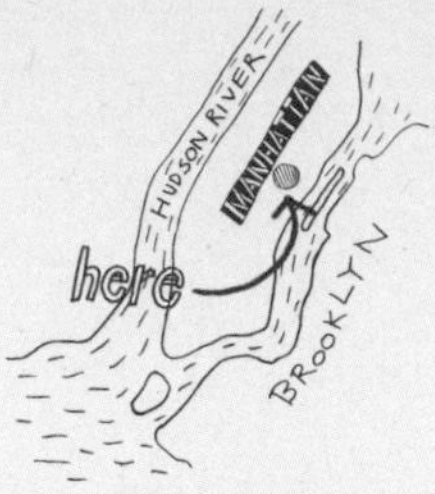

area data

59丁目より北、96丁目より南、東西にはセントラルパークとイーストリバーの広域で、ニューヨークのミュージアムの大半がここにある。『華麗なるギャッツビー』から『アイズ・ワイド・シャット』まで多くの映画のロケ地でもある。地下鉄は、６番線の86ストリート駅、77ストリート駅、68ストリート駅が最寄り。

文・写真／佐久間裕美子

アップタウンの最大のアトラクションは何たってセントラルパーク。

天気がいいと格段に気持ちのいいパーク・アベニュー。南北を見渡せる。

メトロポリタン美術館の現代部門として生まれ変わったホイットニー旧館。

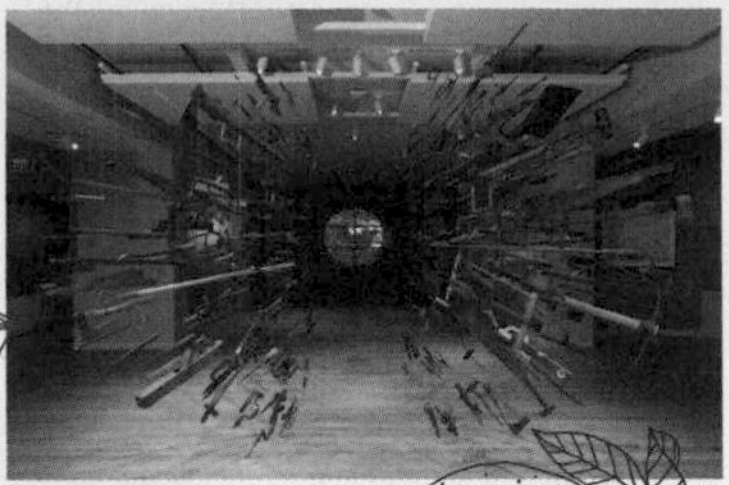

Cooper Hewitt, Smithsonian Design Museum 1

クーパー・ヒューイット・スミソニアン・デザイン博物館

1 ミアン・オルテガ&ザ・ソーラー・ウォールによる「コントローラー・オブ・ザ・ユニヴァース」という作品。触れることはできないけれど四方から中を通り抜けられる。**2** インタラクティブ性では最先端。**3** このペンを使って、2の作品を「擬似収集」し、「インタラクティブ・テーブル」で集めたものを見たり、ウェブ上に保存したりすることができる。**4** 絵を描くと連続されたデザインとなり壁に映し出される。**5** 意外と知られていない。

2 E 91st St., New York ☎212-849-8400 10:00〜18:00（土〜21:00）無休　コレクターによる画廊。

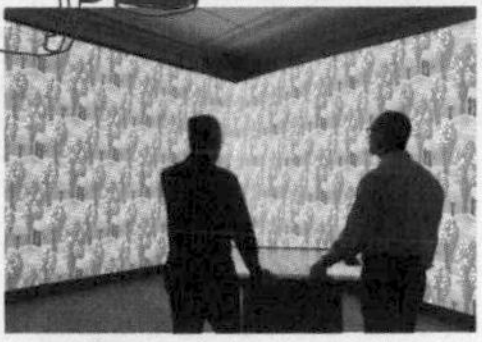

Crawford Doyle Booksellers 2

クロフォード・ドイル・ブックセラーズ

6 '90年代にオープンしたマディソン・アベニューの顔。**7** こんなに小さいのに2階建て。地上階と2階のやりとりが、紐付きの封筒で行われていたのがキュート。スタッフの好みがわかるおすすめのコーナーが本屋探索の醍醐味。**8** アート本、写真集、レアな古本のほかキュートなカードのセクションも。

1082 Madison Ave., New York ☎212-288-6300 10:00〜18:00 日12:00〜17:00 無休

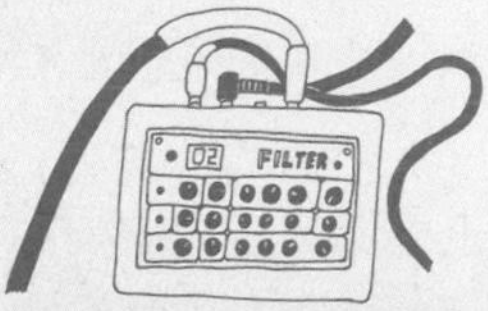

HALF GALLERY 3

ハーフ・ギャラリー

9 アートライターのビル・パワーズ。率直な意見と独特な視点が好き。**10** 妻のシンシア・ローリーとタウンハウスを2階ずつシェアしている。**11** 住居スペースをギャラリーに転用した。**12** ルーフもショーの一部。訪れたときにはニューヨーク在住のドイツ人女性アーティスト、ジョセフィーン・メックセッパーのショーをやっていた。このバンパーもショーの一部。

43 E 78th St., New York ☎212-744-0151 12:00〜17:00 日月休

ニューヨークに移り住んだとき、最初に選んだのがアッパー・イースト・サイドだった。リッチなマディソンやパークに比べて、レキシントン・アベニュー以東はまだ割安だった。家賃が上がったのもあるけれど、退屈だったから愛着のないままに引っ越した。アップタウンの東側はちょっぴりコンサバで退屈、そんなイメージだった。でも数年前から「アップタウンは新しいダウンタウン」という声が聞こえるように。ニューヨークのような街では、家賃が比較的安いエリアに資本が流入するからだ。古典=退屈の呪縛は否めないアッパー・イーストだけど、訪れたい場所は確実にある。

老舗のベーシックと新しいライフスタイル。

アップタウンを訪れるのはミュージアムを訪ねるとき、と以前は思っていた。グッゲンハイム美術館、メトロポリタン美術館、ホイットニー美術館は鉄板だとしても、訪れる人が意外と少ないのはワシントンのスミソニアン博物館の別館、**クーパー・ヒューイット・スミソニアン・デザイン博物館**だ。デザインに強いのはMoMA（ニューヨーク近代美術館）だけではないのです。

ホイットニー美術館がダウンタウンに新館をオープンし、旧館はメトロポリタンの現代美術部門になる。そんなニュースが発表になった頃から、独自な視点を持つエマージング

UPPER EAST SIDE

17

14

13

16

15

Venus Over Manhattan 4

ヴィーナス・オーバー・マンハッタン

13 ガゴシアン・ギャラリーなど多数のギャラリーが入るこの建物の外壁の、この彫刻にちなんで名付けられた。**14** この日は、アメリカ現代美術におけるカウボーイのモチーフを探求した「ローハイド」というショーをやっていた。右はエド・ルーシャの作品。**15, 16** カウボーイをテーマにしたコミックブック。奥に見えるのはアンディ・ウォーホルの「デニス・ホッパー・ポートレート」。

980 Madison Ave., 3rd Floor, New York ☎212-980-0700 10:00〜18:00 日月休

18

Two Little Red Hens 5

トゥー・リトル・レッド・ヘンズ

17 3種類のベリーをミックスしたもの、ストロベリーとルバーブ、アーモンドとチェリーと、ユニークなフレーバーのスコーンは焼きたて。**18** 鶏をモチーフにしたオリジナルグッズ。**19** 最近はおしゃれすぎない場所にぐっとくる。**20** 数あるパイ、ケーキの中でもベストセラーは「レッド・ベルベット」。ミニ（$15）もある。**21** コーヒー豆はニューヨーク州北部の〈アーヴィング・ファーム〉のもの。

1652 2nd Ave., New York ☎212-452-0476 7:30〜21:00（金〜22:00）土8:00〜22:00（日〜20:00）無休　カップケーキのファンも多い。

LUKE'S LOBSTER 6

ルークス・ロブスター

22 15年以上前に住んでいたブロックにこんな店ができる日が来るとは。**23** 色の褪せ方に、ニューイングランドのノスタルジーを感じさせるオリジナルのグッズ。この色みが東海岸ならでは。**24** オーナーであるルークの出身地メイン州の港をイメージしたインテリア。**25** レモン・バターと「秘密のスパイス」で味付けしたニューイングランド流のロブスターロール（$15）。

242 E 81st St., New York ☎212-249-4241 11:00〜22:00（金土〜23:00）無休　東京にもオープン。

23

22

25

24

21

20

19

系のギャラリーが、ロウワー・イーストから北上する動きがちらほら見られるようになった。早かったのは、アートライターのビル・パワーズがオープンした**〈ハーフ・ギャラリー〉**。オフィスの半分を借りていたスペースから、タウンハウスの半分のスペースに引っ越した。ガゴシアン・ギャラリーも入っている有名ギャラリービルに、コレクターのアダム・リンデマンがオープンした**〈ヴィーナス・オーバー・マンハッタン〉**は、若手やアウトサイダー系のアーティストのグループ展が多い。無加工のスペースが、ショーによってガラリと様相を変えるのがおもしろい。いつも視点が新鮮なので、目が離せないギャラリーの一つだ。

ショッピングなら老舗がいい。62丁目にあるボタン店**〈テンダー・ボタンズ〉**は、トラッド系のファッション関係者だったら周知の店。世界中から集まるボタンの個々のストーリーを、オーナーのミリセントが話してくれる。そしてこのエリアのインディー系本屋といえば**〈クロフォード・ドイル・ブックセラーズ〉**。初版やサイン本といったレアなものもあるし、ニューヨークならではのベーシックもある。外の喧騒よりもずっとゆっくり時間が流れる、長居しても怒られなさそうな店だ。

カーキとダンガリーシャツのブランドとして登場したけれど、今ではすっかりライフスタイルショップに成長した**〈セーブ・カーキ・ユナイテッド〉**が、店をオープンしたのも、

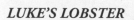

Save Khaki United 7

セーブ・カーキ・ユナイテッド

26 ブランド誕生の第一歩はカーキのパンツだったのがネーミングの由来。今では、洗剤やソープ、キッチン用品まで幅広い品揃え。マンハッタンに6店舗を持つまでに。**27** 個人的にはやっぱりダンガリーシャツの柔らかさが好き。**28** レキシントン・アベニューと意外なロケーションにある。**29** エプロン、キャップ、バックパックと商品展開を拡大中。エプロン、気になります。

1046 Lexington Ave., New York ☎646-918-6541 11:00〜19:00（日〜18:00） 無休

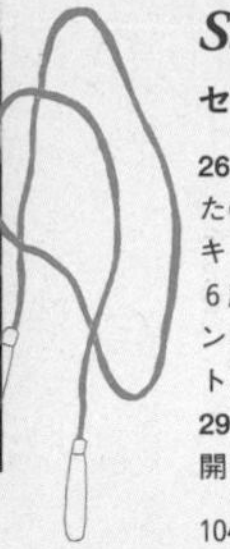

26

27

28

29

J.G. Melon 8

ジェイ・ジー・メロン

30 ビジネスマンから観光客まで、'70年代前半から愛され続けるパブ・スタイルの店。**31** メロンという名前はスイカから。店内の至る所にスイカをモチーフにしたアートやポスターが。**32** マンハッタンに散見される老舗のレストラン。グリーンの外壁を見るとほっとする。**33** ニューヨークのベストの声も高いバーガー。「ベーコン・チーズ・バーガー」（＄11.50）。

1291 3rd Ave., New York ☎212-744-0585 11:30〜翌4:00（日〜24:00） 無休　サラダ類も人気。

31

30

32

33

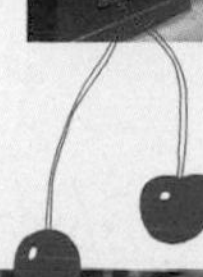

Tender Buttons 9

テンダー・ボタンズ

34 パリで'20〜'30年代に作られたエナメルのカフリンクス（＄150〜185）。**35** アップタウンらしいタウンハウスの1階に。メガサイズのボタンが目印。**36** ネイティブ・アメリカンのものから、アフリカのものまで、アンティークのボタンはフレームに。**37** 1910年代の小説のタイトルにちなんで名付けられたボタン専門店。ヨーロッパを中心に世界中からボタンを選りすぐって取り扱う。

143 E 62nd St., New York ☎212-758-7004 10:30〜18:00（土〜17:30） 無休　老舗のボタン店。

35

34

37

36

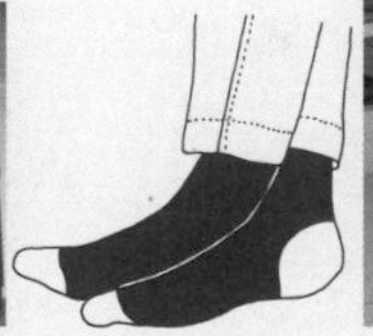

このエリアがヒップになりつつあることの証明の一つかもしれない。メンズライクに着るのにサイズ感もぴったり、肌触りのいいシャツと共通する、気持ちよさそうな生活雑貨たち。ついつい財布の紐が緩んでしまいそうになる店だ。

日本にもついにフランチャイズがオープンした**〈ルークス・ロブスター〉**は、店舗を増やした今もオープン当初から変わらない家族経営の店。聞けば、この81丁目の店が、ダウンタウンの本店の次にオープンした2号店だという。ルークのロブスターロールは、爽やかな後味に定評がある。手軽なスナックにはぴったりだ。セカンド・アベニューまで足を延ばすと**〈トゥー・リトル・レッド・ヘンズ〉**がある。鶏をモチーフにしたカントリー風のカフェは、'90年代にブルックリンでオープンしたカフェを改名して再オープンしたもの。ボリューム感たっぷりの焼きたてのスコーンもおすすめだけれど、一番人気は「レッド・ベルベット・ケーキ」。地元民に人気のある、気軽で肩に力の入らないカフェが最近新鮮に思える。

わざわざアップタウンに足を運ぶべきレストランはいくつかあるけれど、やっぱり忘れてならないのは**〈ジェイ・ジー・メロン〉**。ニューヨークのベストバーガーを出す店はどこ？という議論の際に、必ず名前が挙がる名店。この街の速い時の流れの中で、変わらず存在する店のありがたさを実感させてくれる。

Owner's Favorite

イカした店主のお気に入り VOL.18

ブライアン・レイトゲブさん

ディーラーとして古書やレアブックスを発掘する仕事をした後、2010年、妻とともにイースト・ヴィレッジに〈マスト・ブックス〉をオープンした。

ウィリアムズバーグにあるスタジオのような空間。初心者用のクラスは＄150から。レタープレス系のアーティストを招いてイベントなども行っている。右下はオーナーのダニエル・ガーディナー・モリス。

世界中からレタープレスのファンが集まるスタジオ。

〈ジ・アーム・レタープレス〉のダンは、共通の知人の紹介で出会い、ビジネスカードを作ってもらったりするうちに仲良くなった。古い印刷物のタイプフェイスやデザイン、特に'60年代から'70年代のスタイルが好きだという共通項も、意気投合した理由のひとつだと思う。人懐っこい性格で、アナログの印刷法を蘇らせようとしている感性も、近いのかもしれない。

ダンのショップをどう説明したらいいのだろう？ レタープレス（活版印刷）のクラスやワークショップを開催していて、初心者コースを受講すれば、施設をスタジオとして使うこともできるし、印刷道具や、ポスターを購入することもできる。ダンは、いわばレタープレスの世界のルネサンスマンで、ここ最近の活版印刷ブームに大いに貢献した人物。全米を旅して、レタープレスのスタジオを生き返らせたいという人たちを指導したり、使われなくなったツールを探して修復したり、回収したりもしている。レタープレスのファンたちが世界中から訪ねてくる理由がよくわかる場所。

The Arm Letterpress

〈ジ・アーム・レタープレス〉281 N 7th St., Brooklyn ☎なし 水18:00～22:00（木金12:00～） 土11:00～20:00 日月火休　コープ（共同経営）に近いスタイルで運営される活版印刷のスタジオ。

NEW YORK DAYDREAM

本と映画で夢見るNY VOL.10

バブル時代の狂気じみた生活。

1980年代後半バブル期。NYのウォールストリートで、いわゆる「エリート」達が繰り広げる、歪んだ世界の物語。投資会社の副社長で、うわべだけの仲間や婚約者に囲まれながら、派手な生活を送るパトリック・ベイトマンをクリスチャン・ベールが怪演。'80年代に伝説的な人気を誇ったクラブ、トンネルや実在するレストランの〈スミス＆ウォレンスキー〉などが登場する。庶民には無縁の（？）、〈イエールクラブ〉など、高学歴の金融マンが実際に遊んでいる場所が映るのも嬉しい！

『アメリカン・サイコ』（2000年）アメリカ　ウォール街の投資銀行で副社長として働く、自己愛が強くリッチなパトリックは、快楽殺人の願望を募らせる。ついにその欲求を満たすと、現実と空想の境界線があやふやになっていき、さらには……。

文／長谷川安曇

A Bite Of The World

NY味覚旅行 VOL.18

ブロックのコーナーにある、ありふれたボデガ。陽射しよけの簾が極めてアジア的。

カラフルな紙に手書きされたユーモア溢れるメニューの数は100は超えるとか。

ベトナムのフォーをサンドイッチにアレンジした「P.H.O.」＃1（＄7.49）。

コリアンボデガの「P.H.O.」サンドイッチ。

NYにはコンビニがない。その代わりに「ボデガ」と呼ばれる、新聞にタバコ、ソーダにスナック、パンや缶詰などの食品と、ちょっとした日用品を扱う店がある。レジ横のキッチンでは、メイド・トゥー・オーダーのサンドイッチを売っている。韓国人オーナーの店がとりわけ多く、アジア的な商品やメニューがあるのがおもしろい。アベニューBにある〈サニー＆アニーズ〉もそんな一軒で、ここのサンドイッチがかなりオリジナルでおいしいと評判。一番人気はベトナムのフォーをアレンジした「P.H.O.」。薄切りのローストビーフに、しゃきしゃきのモヤシ、バジルと香菜にホイシンソースがピリッとアクセント。言われてみればフォーを食べているような、いないような!?

Sunny & Annie's Gourmet Deli

〈サニー＆アニーズ・グルメデリ〉94 Ave. B, New York ☎212-677-3131 24時間営業 無休

文・写真／松尾由貴

My New York Moment

NY在住写真家のフォトエッセイ　VOL.18

Jarod Taber

ジャロッド・テイバー／1990年生まれ。南カリフォルニア出身。写真、映像の仕事の傍ら、〈マーロウ・グッズ〉で働いたり、家具のデザインを手掛けたりも。www.jtaberfilmwork.com

カリフォルニアの思い出、変化する自分。

これは33℃の暑い夏の日、ソーホーの友人宅の屋上のプールで撮った。ニューヨークに越してきて最初の夏だ。この街の人々は「最初の年が一番辛い。それを乗り切れば生き残れる」と言う。学んだことは、夏のニューヨーカーは延々、人と会ったり、遊んだりする。辛い冬が来たら自分の空間に戻っていくから。スケートボードのシーンで育ち、6年前にフィルムの写真を撮り始めたときは、モノクロでストリートスタイルの写真ばかり撮っていた。最近カラーを撮るようになって、光や色、テクスチャーを意識するようになった。この一枚は、そんな自分の変化を表している。そして、自分が育ったカリフォルニアを思い出させる瞬間を。

CAFE,RESTAURANT,BAR

SHOP